마이클 샌델과의 대화

불공정 시대의 정의를 묻다

마이클 샌델, 김선욱 지음

마이클 샌델과의 대화

⚖ 불공정 시대의 정의를 묻다

netmaru

성공한 사람은 운이 좋았다는 것을 잊고 성공에 보탬이 된 사람들의 역할을 잊어버린다. 그건 오만으로 이어진다.

- 마이클 샌델

contents

Prologue

2010년 한국 사회에 정의 열풍을 일으킨 마이클 샌델. 많은 사람들이 우리 사회의 정의와 공정을 뜨겁게 희망했습니다. 10년 이상의 시간이 흐른 지금, 우리는 어디까지 왔을까요? 사회, 과학기술, 경제, 환경, 정치 등 우리 삶의 거의 모든 분야에서 많은 것이 변화하는 동안 사람들의 생각과 행동도 달라졌을까요? 새로운 시대의 고민을 나누고, 더 나은 내일을 위한 답을 듣고자 마이클 샌델 교수와 더 깊은 대화를 시도했습니다.

Part 1은 "마이클 샌델과의 대화"입니다. 우리는 위의 질문들을 나누기 위해 미국 보스턴의 하버드대학을 찾았습니다. 그리고 이 시대에 새롭게 문제가 되는 정의와 공정에 대해 물었습니다. 우리 사회에서도 크게 논의되었던, 그러나 근본적 해결을 위해서는 한 걸음도 나아가지 못하는 능력주의에 대해 다루면서, 시대의 변화와 그에 따른 민주주의의 문제에 관한 샌델의 음성을 들었습니다.

Part 2는 "마이클 샌델을 말하는 대화"입니다. 그동안 샌델 교수가 쓴 책들을 번역하는 과정에서 감수 역할을 맡아 온 김선욱 교수를 찾았습니다. 그와의 대화를 통해 샌델의 생각을 전체적으로, 또 정확히 이해하는 기회를 가졌습니다. 『정의란 무엇인가』에서 『당신이 모르는 민주주의』까지 이르는 샌델의 거대 담론을 돌아보며, 그 흐름에 쉽게 접근할 수 있도록 기획하였습니다.

　Part 3는 "마이클 샌델 교수와 김선욱 교수의 대화"입니다. 하버드에서 오랜만에 다시 만난 두 사람이 개별 인터뷰에서 미처 다 하지 못했던 이야기를 나누었고, 이를 간추려 담아냈습니다.

　이처럼 우리는 "샌델과 말하고" "샌델을 말하는" 인터뷰를 진행하여 이 책을 세상에 내놓았습니다. 우리의 관심은 우리나라가 더욱 살기 좋은 세상, 더욱 정의롭고 공정한 세상이 되는 데 있습니다. 샌델은 이를 '정의'를 중심으로, 또 '민주주의'를 중심으로 말합니다. 그와 더불어 함께 생각하며 우리의 미래를 향한 철학적 여정을 시작해 봅시다.

Part 1.

마이클
샌델에게

묻다

Michael Sandel

"정의로운가?"
거듭 질문을 한다는 건
우리가 정의와 민주주의를 희망하지만
반면, 그에 대해 잘 알지
못하기 때문은 아닐까?

마이클 샌델이 말하는
능력주의의 함정

Q 샌델 교수님, 인터뷰에 응해 주셔서 감사합니다. 오늘 이 자리에서, 교수님과 코로나19 이후 미래에 대해 이야기를 나누고 한국의 많은 독자에게 새로운 시대를 위한 고민거리를 던지고자 합니다. 알고 계시겠지만, 교수님의 책 『정의란 무엇인가』와 『공정하다는 착각』은 한국에서 아주 큰 반향을 일으켰습니다. 능력주의, 정의에 대한 많은 논쟁을 불러일으켰고, 그만큼 능력주의에 대한 문제 제기 역시 큰 관심을 받게 되었습니다.

그러나 교수님께 쏟아진 많은 관심에도 불구하고 한국 사회에서 능력주의와 사회 정의에 관한 논의 수준이나 그로 인한 직접적인 변화를 만들기까지는 아직 갈 길이 멀다는 생각도 듭니다. 능력주의와 정의에 대해서, 이번 기회에 조금 더 구체적인 사례를 들어 이야기를 나눌 수 있었으면 합니다.

　분명 지난 몇 년간 전 세계를 휩쓴 코로나19 팬데믹이라는 재난 사태 역시 교수님께서 지적해 오신 능력주의의 문제를 드러내는 중요한 계기가 됐습니다. 우선 능력주의에 대한 논의부터 시작했으면 합니다.

A　능력주의는 아주 다루기 까다로운 주제입니다. 왜냐하면 여러 이유로, 능력주의는 사람들의 이상향이자 지향, 꿈 자체로 생각되기 때문입니다. 능력주의는 사람들 각자에게 맞는 일, 직업, 책임이 주어진다는 우리가 꿈꾸던 사회의 모습을 보여줍니다. 타고난 특권이나 연줄 등이 아닌, 개개인이 가진 능력과 역량에 따라 직업, 사회적 지위, 권한과 같은 기회를 얻게 된다는 뜻이니까요. 그런 관점에서 본다면 능력주의는 아주 좋은 것이고, 우리 사회에 더 많이 퍼뜨려야 하는 것이죠. 날 때부터 주어진 것들로 인생이 결정되는 헛된 계급주의의 대안이니까요. 능력주의는 사람들이 타고나면서 짊어진 가난과 같은 조건들로 발목 잡히지 않고, 노력하는 모든 사람이 스스로의 자율성에 따라 자신의 미래를 만들어갈 수 있다는

얘기라고 생각되기 쉽습니다. 사람들이 능력주의에 혹하는 것도
그 때문이죠.

Q   교수님께서 『정의란 무엇인가』를 통해 이야기하셨던 것
이 바로 그것이죠?

A 맞습니다. 능력주의가 사회적인 폭압이 될 수 있다는 사실을 알아차리기란 매우 어렵습니다. 우리의 운명이 우리의 손에만 달려 있다는 생각은 사회적 성공에 대한 어떤 관념을 퍼뜨립니다. 바로 "성공은 누군가가 하기에 달렸고, 성공한 사람들은 모두 스스로의 힘으로 성공을 일궈낸 것이다."라는 생각이죠. 이 생각은 한 사람이 성공하는 과정에서 작용한 행운이나 타고난 운의 존재를 지워버립니다. 그 모든 공을 내가 들인 노력에 돌리는 것이죠. 실제로 한 사람의 성공이 있기까지 아주 큰 영향을 미친 그 사람의 출신 집안과 가족, 교사, 이웃, 공동체, 우리가 살고 있는 지역이나 속한 국가 등에서 입은 특혜를 잊게 만들죠. 그러면서 자신의 성공에 과하게 취하도록 만듭니다. 우리 스스로를 오로지 제 힘으로만 살아왔고 그럴 수 있는 존재처럼 생각하게 만드는데, 실제로는 전혀 그렇지 않죠. 우리 모두는 자신이 태어난 집안이나 마을, 지역, 나라와 같은 특정 공동체에 속해 이 세상에 태어나게 되고, 그것은 우리 삶 전체에 큰 영향을 미칩니다. 의무나 책임이 부여되기도 하고, 때로는 특권을 주기도 하면서요.

그러니 우리 사회는, 또한 성공한 사람들 스스로도, 누군가가 높은 사회적 지위나 성공을 일궜다면 분명 그 과정에서 수많은 행운이 따랐으며, 타고나면서 거저 주어진 것들의 덕이 크게 작용했다는 점을 더 많이 상기할 필요가 있습니다. 그 사실이 잊힐 때 성공한 사람들, 즉 이 사회에서 힘을 가진 사람들 사이에 "나는 내 스스로 이 모든 것을 일궈왔는데, 왜 저들은 스스로 하지 못하나"라는 생각이 퍼지게 됩니다. 성공한 사람들은 '저들 삶이 힘든 건 나와는 상관없는 일'이라고 여기게 되고, 이는 결과적으로 약자들을 향한 사회적 폭압을 만들기 때문입니다. 이런 냉정한 태도는 이미 우리 사회에서 성공한 사람들로부터 자주 볼 수 있죠. 아주 확신에 차서 "나는 내 힘으로 이 모든 것을 이뤄냈다."고 생각하는 사람도 많은데, 이것이 바로 능력주의가 지닌 폭압성 그 자체라고 할 수 있습니다.

물론 사람들이 각자 능력에 맞는 일을 하는 것은 중요합니다. 수술을 하는 경우에는 능력과 자격을 갖춘 의사가, 비행기를 띄울 때는 마찬가지로 제대로 운전할 수 있는 파일럿이 필요합니다. 그런 능력의 중요함 자체를 부정하는 것은 아닙니다. 그러나 성공에 대한 폭압적인 생각에 빠지지 않고 능력주의의 좋은 점만 취하기란 쉽지 않다는 것에 문제가 있습니다. 이런 생각에 빠질 경우, 우리는 승자와 패자로 이분화된 관점으로 세상을 보게 되기 때문이죠.

이렇게 승자와 패자를 강력하게 나누는 사회일수록 많은 이들이 분노에 찬 사회, 서로가 서로에게서 고립된 사회가 되는 것입니다. 아주 불안정하고, 사회적 통합이나 조화를 찾아보기 힘든 그런 사회 말입니다. 제가 우려하는 것은, 이런 일들이 민주주의 사회라 불리는 전 세계 많은 곳에서 일어나고 있다는 점입니다. 제가 『공정하다는 착각』을 쓰게 된 이유도 바로 여기에 있습니다. 능력주의가 승자와 패자라는 이분법으로 사회를 둘로 나누고 사회적인 통합과 포용을 방해하며, 결국은 민주주의를 위협할 것이라는 사실을 사람들 앞에 증명하려 한 것입니다.

Q 맞는 말씀이십니다. 지적해주신 점에 대해 사례를 들어

얘기해 보고 싶은데요. 한국에서 능력주의의 신화, 즉 '공정하다는 착각'을 가장 쉽게 확인할 수 있는 곳이 바로 대학이 아닐까 합니다. 한국에서 학벌은 삶의 아주 큰 자산이라고 할 수 있는데요. 많은 사람들이 수능시험을 통해 자신이 일궈낸 성과와 능력에 따라 학벌을 얻는 것이 아주 공정한 시스템이라고 생각하고 있습니다. 그런데 교수님이 속한 하버드대학에는 '레거시' 시스템이 있지 않습니까? 교수님은 늘 '성공은 개인의 노력만으로 이뤄지는 것이 아니기 때문에 그로 인한 이익을 사회와 다시 나눠야 한다'고 긴 시간 주장하셨는데, 반대로 부모의 배경이나 재력에 따라 하버드라는 학벌을 얻게 되는 이 시스템에 대해서는 어떻게 생각하십니까?

A 좋은 질문입니다. 하버드대학의 입학 제도에 대한 아주 중요한 문제 제기이기도 하고, 능력주의에 대해 이야기할 좋은 사례이기도 하니까요. 얘기해 보죠. 먼저 한국과 미국의 대학이 서로 다른 입학 시스템을 갖고 있다는 것은 저도 잘 알고 있습니다. 한국에는 수학능력시험이라고 불리는 아주 어려운 시험 제도가 있고, 학생들은 명문대에 들어가기 위해 아주 무거운 압박감 속에서 수년을 끊임없이

공부해야 하죠? 대학 졸업장이 인생의 많은 부분을 결정하기 때문입니다. 그리고 겉으로는 평등하게 보이는 시험이지만 시험 준비의 과정 자체는 평등하지 않다고 지적하는 목소리도 있을 것입니다.

물론 명문대에 합격하는 학생 개인이 열심히 공부한 것은 부정할 수 없는 사실입니다. 그러나 부유한 집안에선 자녀들에게 비싸고 유능한 과외 선생을 붙이거나 값비싼 학원 교육을 아낌없이 제공할 수 있고, 가정 분위기나 문화를 포함한 다양한 교육적, 문화적 지원도 할 수 있습니다. 그렇기 때문에 결과적으로 부유한 가정의 학생이 그렇지 못한 학생에 비해 수능에서 더 좋은 성적을 얻기가 쉽다는 사실을 간과해서는 안 됩니다. 한편 모든 수험생이 같은 문제로 동시에 시험을 친다는 것 자체가 기회의 평등이라고 주장할 수도 있습니다. 그러나 현실에선 가정 환경이 여유로운 학생들이 그렇지 못한 학생들에 비해 특혜를 받고 있다는 점을 부정할 수 없을 것입니다.

미국 대학인 하버드의 입학 제도에 대해 이야기해 보죠. 하버드의 입학은 아주 어려운 것이 사실인데, 한국의 수능 격인 SAT 외에도 예체능, 학과 외 활동, 봉사 활동, 사회적 활동에 대한 참여와 말씀하신 '레거시'를 고려합니다. 레거시란 쉽게 말해 수험생을 판

단하는 요소 중 하나로 부모가 하버드 출신인가를 고려한다는 것입니다. 물론 부모가 하버드에 다녔다는 이유만으로 바로 합격증을 받는 건 아닙니다. 그러나 거의 비슷한 점수의 학생이 있을 경우에, 레거시라는 기준으로 학생을 선발할 수 있다는 거죠. 결과적으로 하버드 출신 부모를 둔 학생이 하버드에 합격할 확률이 더 높아지는 건 사실입니다.

대중은 물론 학생들 사이에서도 이런 제도가 불평등하다고 지적하는 경우가 있고요. 저도 동의합니다. 말하자면, 저는 하버드의 레거시 제도에 동의하지 않습니다. 부모가 하버드 출신인 경우 그 자녀들 역시 그렇지 않은 학생들보다 여러 면에서 더 좋은 환경, 특혜라 할 수 있는 환경에서 자라왔을 가능성이 높은데 이 학생들에게 다시 한번 입학 과정에서 혜택을 주는 것이기 때문입니다. 그래서 저는 반대로, 더 어려운 환경의 학생에게 특혜를 주어야 한다고 생각합니다. 예를 들어 가족 중 누구도 대학 자체를 나오지 못했는데 처음으로 명문대생이 되기를 꿈꾸는 학생의 경우나 경제 상황이 좋지 못한 가정의 학생인 경우, 입학 과정에서 더 많은 가점을 받아야 한다고 생각합니다.

그런 의미에서 저는 레거시 제도에 반대하지만 동시에 시험 성적만으로 학생을 판단하는 입학 제도에도 반대합니다. 시험은 겉으로 보기에는 공정한 기회를 주는 제도인 것처럼 보이지만 현실에서는 여러 이유로 그렇지 않은 경우가 많기 때문이죠. 그러나 대학 입학 제도에 대해 구체적으로 논의하기 위해서는 평등 관점에서의 혜택뿐만 아니라 음악이나 운동 등 학생이 가진 다양한 재능이나 활동을 포함하는 방식으로 논의가 더 지속돼야 한다고 생각합니다.

Q 그러나 예로 드신 예체능 부분 역시 학생의 가정 형편에 큰 영향을 받지 않나요?

A 맞습니다. 어린 나이에 예체능 방면에서 뛰어난 능력을 갖추기 위해선 재능과 물질적 자원 모두 필요하니까요. 그리고 입학 과정에서 반영되는 많은 운동 종목들 역시 부자들만 할 수 있는 종목인 경우도 많습니다. 폴로, 수구, 펜싱, 스쿼시, 라크로스 같은 운동이 대표적이죠. 가난한 집안의 아이들은 이런 운동을 할 수가 없습니다. 부모의 경제력이 없으면 훈련비, 코치 비용 등을 감당할 수 없죠. 하지만 축구나 농구는 누구나 접할 수 있는 운동이니 경우가 좀 다릅니다. 특권층이어야만 할 수 있는 스포츠 능력에 대한 가점 비율을 줄이는 식으로 세심하게 솎아내어, 날 때부터 특혜가 주어진 학생들이 그 결과로 입학 과정에서 또다시 특혜를 입는 비중을 줄여야 한다고 생각합니다. 왜냐하면 이런 스포츠를 할 수 있는 부유한 환경의 자녀들은 어차피 시험 성적도 더 좋은 경우가 많기 때문이죠. 더 좋은 학교에 보내고, 가정교사를 붙이거나 할 수 있으니까요. 저는 특혜는커녕 늘 장애물을 이겨내야 했던 어려운 환경의 학생들에게 가점을 줘야 한다고 생각합니다. 저라면 그럴 것이고, 언급한 대로 특혜를 받은 환경의 학생들에게 또 한 번 특혜를 주는 레거시 제도 역시 폐지해야 한다고 생각합니다.

대학 입학과 불평등에 대한 이야기가 나온 김에 한 가지 이야기를 더해 보겠습니다. 저는 『돈으로 살 수 없는 것들』이란 책을 쓴 후 한국에 방문하여 연세대학교에서 강연을 했던 적이 있습니다. 1만 4,000여 명의 사람들이 모인 야외 공간에서 진행했죠. 아마 절대 잊을 수 없을 것 같은데요, 그 많은 사람과 서로 소통하고 상호작용하며 이야기를 나누었기 때문입니다. 이날 모인 사람들과 어떤 것을 돈으로 살 수 있는지 없는지, 또는 어떤 것은 돈으로 살 수 없도록 해야 하는지에 대해 이야기했습니다. 그때 제가 이런 질문을 던졌습니다. "연세대에 새 도서관이나 커다란 과학 연구실을 짓기 위해 부모가 학교에 수백만 달러를 기부할 수 있는 학생을 받는 것에 대해 어떻게 생각하십니까?" 이런 제도가 허용되어야 할지, 혹은 도덕적으로 납득할 수 있는 일인지에 대해서 열띤 토론을 벌였습니다. 이른바 '연세대 입학권' 몇 개를 비싸게 팔아 학생 몇 명을 받아주는 대신, 학교 전체와 학생 모두를 위해 쓴다는 상상을 해본 거죠. 그때 한 학생이 "교수님, 그런데 하버드에는 이미 그런 제도가 있지 않습니까? 자산가들의 기부를 대가로 그 자녀들을 입학시켜주는, 그러니까 실제로는 입학 허가서를 판매하고 있는 것으로 압니다." 하고 묻더군요. 그때 저는 이렇게 답했습니다. "완벽히

'판다'고 볼 수는 없습니다. 동문 자녀에게 가점을 주기는 하고, 그 걸 바라며 부모들이 자발적으로 학교에 기부를 할 수는 있겠지만 그렇다고 돈을 내고 바로 입학권을 사는 제도는 아닙니다."라고요.

　그러나 그 이후 여러 언론 기사를 접하며 미국의 몇몇 대학에서 는 거의 '입학 허가서를 판다'고 밖에 볼 수 없는 일들이 있다는 것 을 알았지요. 입학할 자격이 충분한 지원자 중 최고의 학생이라고 볼 수 없는데도, 부모가 거액을 기부하기로 한 집안의 자녀들이 대 학에 합격하는 경우가 있었습니다. 그러니 당시 내가 가설이라고 불렀던 것들이 단순히 가설은 아니라는 사실이 증명된 셈이지요. 이런 문제들이 계속되면서 우리 사회 속에서 불평등이 무엇인가에 대한 논쟁과 질문들이 자꾸만 커진 것입니다. 우리가 지금 이야기 를 나누고 있는 것처럼요.

Q　교수님께선 부자들이 사회를 위해 돈을 더 내도록 해야 한다는 정도가 아니라, 사회 시스템 전체의 근본적이고 구조 적인 변화가 필요하다고 주장하신 거군요.

A　그렇습니다. 제가 대학의 총장이라면 저는 한 학생을 입학시

키는 대가로 수백만 달러를 받는 일을 거절할 수 있어야 한다고 생각합니다. 하지만 그 결정을 하기까지 큰 압박을 받게 될 거고, 아주 답하기 어려운 많은 질문에 부딪혀 고민하게 될 것입니다. 어떤 부모들이 "하버드에서 공부할 자격은 충분하지만 가정 형편이 어려운 학생 10명에게 장학금을 제공하는 대신, 자신의 자녀를 입학시켜 달라"고 한다면 어떨까요? 그 자녀가 하버드에 입학하기엔 좀 부족할 수 있지만, 그 아이를 받아준다면 10명의 재능 있는 학생들에게 기회를 줄 수 있게 되겠죠. 심지어 그들이 매년 장학금을 내겠다고 한다면요? 제가 그 돈을 받아야 할까요? 장학금이 아니라 수영장을 지어준다고 한다면 거절할 수 있겠지만, 쉽게 결정을 내릴 수 있는 문제가 아닙니다.

팬데믹이 드러낸
불평등의 민낯

Q   현시대 사회 변화에 대해 논의하기 위해선 지난 코로나19 팬데믹을 빼놓을 수 없겠죠. 재난적인 전염병 상황에서의 능력주의에 대한 교수님의 의견이 궁금합니다. 코로나19는 능력주의에 대한 환상을 더 심화시켰습니까? 아니면 오히려 능력주의로 인한 불평등을 드러내는 역할을 했다고 보십니까?

A   처음 코로나19 사태가 발생했을 땐, 이 재난이 바이러스 앞에서는 모든 인류가 똑같이 연약한 존재라는 사실을 깨닫게 하는 것처럼 보이기도 했습니다. 그래서 이 사건을 계기로 모든 인류가 연대하는 공동체가 만들어지고, 서로에게 공감하는 계기가 되리라 여겨지기도 했죠. "바이러스엔 앞엔 부자도, 가난한 자도 없다. 모

두가 위험하다." 하는 식으로요. 마치 코로나19가 모든 인류는 운명 공동체라는 사실을 증명하는 것처럼 보였죠. 그러나 금세 인류의 운명은 하나가 아니라는 사실이 드러났습니다. 바이러스가 인류 전체를 위협한 건 사실이지만, 사람들에게 닥쳐온 위협의 크기나 정도는 같지 않았습니다. 부유한 나라 사람들은 가난한 나라 사람들보다 더 빨리 백신 접종을 받았고, 부유한 나라에서 백신을 대량으로 순식간에 사들이는 바람에 가난한 나라에서는 백신을 확보하는 일 자체가 매우 어려웠습니다. 이런 일들로 인해 말씀하신 코로나19 이후 불평등 문제에 대한 사회적 관심이 커진 것이죠. 이미 우리 사회에 존재해 온 불평등을 코로나19가 선명하게 드러낸 셈인데요. 동시에 이 재난은 불평등 측면에서 아주 극적인 상황을 만들기도 했습니다.

대표적인 사례를 들어 보겠습니다. 바로 코로나19 상황에서 재택근무를 할 수 있는 사람과 그렇지 못한 사람 사이의 선명한 차이입니다. 어떤 사람들은 재택근무를 하며 직업을 유지할 수 있었죠. 제가 그렇습니다. 코로나19가 닥치고 나서 1년 이상 온라인으로 학생들을 가르쳤죠. 기업에서 사무직으로 일하거나 금융계에서 일하는 사람들 역시 온라인으로 미팅하는 식으로 계속해서 일할 수

있었습니다. 그러나 어떤 사람들은 직업 특성상 계속해서 밖으로 나가야만 하죠. 택배, 홀서빙 직원, 호텔 근무자 등이 그렇습니다. 이 같은 경우는 위험하다고 해서 집에서 일하는 호사를 누릴 수 없었습니다. 생계 수단을 잃느냐, 위험을 감수하고 밖에 나가 일하느냐의 두 가지 선택지밖에 없었습니다. 그리고 이들이 하는 일들 역시 함께 세상을 살아가는 사람들에게 필요한 일이죠. 팬데믹 초기에 목숨을 잃은 사람들 대부분이 실제로 직업을 유지하기 위해서 대중이 모인 곳으로 나갈 수밖에 없는 사람들이었던 것도 사실입니다. 그야말로 불평등을 더없이 극적으로 드러내는 장면입니다.

이런 경험을 통해 불평등이 무엇인가에 대해 우리 모두 무언가를 배웠으리라 생각합니다. 그러니 이젠 정말 변화를 만들 때입니다. 보통 하찮은 일로 생각했던 수많은 사람들의 노동에 우리 모두의 삶이 얼마나 빚지고 있는지를 이 팬데믹이 보여줬으니까요. 코로나19와 싸우기 위해 노력한 의료진뿐 아니라 수많은 노동자들이 우리 사회를 지탱하고 있다는 사실 말입니다. 택배나 물류 배송원, 정비공, 운송 사업 종사자, 간병인, 아동 보육 담당자… 이런 직업들은 대개 사회에서 높은 지위나 급여가 주어지는 직종은 아니죠. 그러나 이 같은 노동을 하는 사람들이 이 사회를 받쳐오고 있던 것입니다. 팬데믹을 겪으면서 드디어 사회는 이 사람들을 '필수 노동자'라고 부르며 그 노고를 인정하기 시작했습니다. 감사하다는 팻말을 내걸거나 하면서 평소에 미처 깨닫지 못했던 이들의 중요성을 강조하기도 했죠. 그러나 안타깝게도 이런 움직임은 이들의 사회적 중요성을 치하하는 단순한 수준을 넘어, 실제적으로 해당 노동자들의 급여나 사회적 지위를 높여야 한다는 논의까지 이어지지는 못했습니다.

팬데믹 초기부터 누군가를 돕는 프로그램은 분명 존재했고 사람들에게 돈이 지급된 것도 사실입니다. 그러나 이 돈이 가장 절실하게 필요한 사람에게 흘러갔다고 보기는 어렵습니다. 시간이 흘러 팬데믹 사태에서 조금씩 벗어나기 시작하면서, 우리 사회가 그 사실을 진정으로 깨닫지 못했다는 점을 알게 됐습니다. 사회적인 인정을 받지 못하거나, 임금을 덜 받거나, 대학 졸업장이 없는 노동자들이 지역사회에 중요한 기여를 하고 있다는 사실을 인정하고 존중하는 경제 시스템을 구축하지 못했기 때문이죠. 감염병이 준 뒤섞인 교훈이 된 셈입니다. 코로나19 사태는 불평등이 존재함을 세상에 드러냈고, 존중받지 못했던 여러 블루칼라 노동자나 서비스직의 중요성을 드러냈습니다. 그러나 그러한 일에 대한 생각의 변화, 이들을 위한 존중의 확립이라는 근본적인 변화로 이어지진 못했습니다.

Q 그렇다면 팬데믹 상황에서도 여전히 능력주의는 공고하고, 오히려 불평등은 심화되었다고 생각하시는 거군요?

A 그렇습니다. 저는 불평등과 능력주의의 관계를 더욱 명확히 짚어야 한다고 봅니다. 앞서 언급한 것처럼 능력주의는 인맥으로 사람을 기용하는 족벌주의나 특권주의에 반하는 면은 분명히 있지

만, 또 다른 불평등을 만들어내기 때문이죠. 예컨대 기술이 발전할수록 더 좋은 학위를 가진 사람들만 할 수 있는 직업에 더 많은 특혜가 주어지거나 하는 방식으로요. 그렇기 때문에 대학 졸업장을 가진 사람과 그렇지 못한 사람이 할 수 있는 일자리 사이의 간극은 점점 커져만 갑니다. 바로 이런 부분이 능력주의가 가져오는 불평등입니다.

보다 좋은 학벌, 학위, 전문직일수록 돈을 더 많이 벌고, 아무리 우리 사회에서 중요한 일이라고 해도 학위 없이 할 수 있는 일자리라면 급여는 점점 줄어듭니다. 능력주의 방식의 경쟁이 자꾸만 이런 사회를 만듭니다. 이제는 차별받는 사람 개인에게 "스스로를 더 발전시키고, 학위도 따서 더 좋은 자리로 가야지."라고 하는 게 아니라 이런 불평등한 구조 자체에 대한 문제 제기가 필요한 상황이죠. 개인에게 그렇게 말하는 건 옳지 않습니다. 오늘날 발생하는 불평등 문제에 대한 대응 방법으로 '각자가 더 좋은 교육을 받아 계급 이동을 해야 한다'고 말하는 것은 바람직한 대안이 아닙니다.

Q 코로나19 백신에 대해서도 묻고 싶습니다. 기술을 가진

사람들이 코로나19 백신을 개발하고 배포했습니다. 그러나 교수님께서 말씀하셨듯 선진국이나 부유한 나라는 이 백신 비용을 감당할 수 있지만 그렇지 못한 나라들은 어려움을 겪기도 했습니다. 많은 국제기구들이 이 문제에 대해 이야기했죠. 그러나 한편으로 지적 재산권 역시 중요한 문제입니다. 그래서 고민스러운 것이 현실이고요. 백신 분배에 있어서 공공선을 확보하면서 개발자나 종사자들의 의욕도 꺾지 않을 방법이 과연 있을까요?

A 코로나19의 대유행은 우리에게 많은 것을 알려줬습니다. 특히 초기 백신에 대한 접근에 있어 부유한 국가와 개발도상국 사이에 존재하는 매우 큰 불평등을 드러냈죠. 또 한편으로는 백신이 그만큼 빨리 개발된 것이 상당한 성과이기도 했습니다. 과학과 기술의 큰 업적이라 할 만하죠. 팬데믹 동안 백신 개발의 이 두 가지 측면은 말씀하신 것처럼 미래의 전염병이나 전 세계적인 전염병에 대해 중요한 질문을 하게 만듭니다.

먼저 우리가 백신을 주어진 시간 안에 개발할 수 있을까 하는 질문이 하나 있고, 다른 하나는 그 백신을 어떻게 하면 부자 나라들이

독점하지 않고 더 많은 사람들에게 배분할 수 있을까 하는 문제입니다. 말씀하신 지적재산권에 관한 문제가 이 질문을 들여다보는데 아주 중요한 역할을 합니다. 일부 백신은 비영리적인 목적으로 개발됐지만, 대부분은 영리를 목적으로 개발됐기 때문이죠. 그리고 그 권리를 보호하는 지적재산권에 관한 법률은 백신이 대규모로 빠르게 생산되는 걸 어렵게 만듭니다. 대부분의 백신 개발이 이런 상황에 놓여있습니다. 지적재산권은 일반적으로 약물 생산자들에게 일정 기간 동안 독점권을 주고, 이를 통해 제약사들은 비싼 가격을 매길 수 있게 됩니다. 저는 코로나19 백신처럼 생명 유지와 연관된 의약품에 대한 연구에는 뭔가 다른 방법을 찾아야 한다고 생각합니다. 왜냐하면 인도, 브라질, 남아프리카공화국같이 수십억 개의 약을 신속하게 만들 수 있는 나라에서 약물을 생산할 수 있도록 하는 것이 이상적이니까요.

'모두가 함께 겪는 문제'라는 슬로건을 한 번쯤 들어본 기억이 있으실 것입니다. 지구상에 갑자기 등장한 전염성 강한 감염병으로 우리 모두가 영향을 받고 있다는 뜻이죠. 그러나 동시에 자원을 수월하게 조달할 수 있는 일부 나라들은 이 문제에 훨씬 더 잘 대처할 수 있다는 불공평한 상황도 마주하게 됩니다. 이를 해결하기 위해서는 개발사가 아니더라도 백신과 제약 생산 기술을 갖춘 곳에서 제조하고 생산할 수 있도록 하는 지적재산권 개념이 필요합니다. 그래야 개발된 백신이 전 세계적인 자원으로 활용될 수 있을 테니까요. 전 세계적으로 모든 사람을 위험하게 하는 아주 커다란 건강·보건 문제가 발생했기에 새로운 지적재산권에 대한 고민이 필요한 거죠.

저는 투자자들이 투자 수익을 낼 수 있으면서 동시에 좋은 약을 개발하고 지속 가능하게 보급하도록 하는 방법을 찾을 수 있다고 생각합니다. 두 가지가 양립할 수 있는, 세계 공중 보건을 위한 의약품과 백신에 대한 투자 자금을 조달하는 다른 방법을 찾아야 하는 거죠. 하지만 도덕적인 대원칙은 세계적인 공중 보건이 공공선이라는 것이며 시장과 사적 자본에 의해 휘둘려서는 안 된다는 것입니다. 자유 무역이라는 미명 아래, 미국을 비롯한 많은 선진국이 지적재산권 관련 법을 강화해 왔고 무역을 하는 조건으로 이를 받아들이게 했죠. 저는 이게 미국의 실책이라고 봅니다. 선진국들은 이런 식으로 인간의 기본적 삶을 보장하는 것들에 대한 재산권을 강화해 왔습니다. 예를 들면 삶의 지속을 위한 기본적인 약이나 백신 같은 것들이죠. 그래서 처음의 질문은 좀 더 거대한 질문으로 이어지게 됩니다. 우리는 어떤 것들을 공공재로 생각해야 할까요? 그리고 어떤 것들을 시장에 가격 결정을 맡기는 사적 재산으로 생각해도 합당할까요?

이 주제는 많은 책을 통해서 저도 오랜 시간 고민해 온 주제입니다. 『정의란 무엇인가』, 『돈으로 살 수 없는 것들』, 『공정하다는 착각』 등을 통해서요. 민주시민으로서 우리 모두 이런 질문을 피할 수 없습니다. 교육이나 보건, 특히 공중보건에 대해서 이야기할 땐 빼놓을 수 없죠. 이런 것들은 기본적인 안전보장과 마찬가지로 모두가 접근할 수 있어야 합니다. 적정한 주거, 기본적인 건강권, 교육처럼요. 이런 것들은 완전히 시장에 맡겨져서는 안 되며, 우리가 다른 시민들과 인간으로서 나누고 서로가 서로에게 빚지고 있는 것들이라고 생각해야 합니다. 백신과 마찬가지로 더 큰 질문으로 접근해야 하는 문제들입니다. 우리가 타인에게 무엇을 빚지고 있는가에 대한 윤리적 질문들 말이죠.

깊어지는 양극화,
더 깊어지는 불평등

Q   이제 경제적 측면에서 질문하겠습니다. 모든 나라가 코로나19 팬데믹 직후 기준 금리 인하, 양적 완화 등 매우 강력한 경제정책을 도입했으며, 이후 자산 거품이 발생했습니다. 이 때문에 자산이 있는 부자들은 더 부자가 될 수 있지만 자산이 없는 가난한 사람들은 더 가난해졌습니다. 부자는 더 부자가 되고 가난한 사람은 더 가난해지는 상황이죠. 이런 양극화 문제에 대해 어떤 의견을 갖고 계신가요?

A   네. 저도 양극화와 그 양극화를 심화하는 불평등의 역할에 대한 고민이 필요한 시기라고 생각합니다. 팬데믹은 다양한 측면에서 수십 년 동안 심각해진 불평등과 일반 노동자들의 정체된 임금

문제 등에 주목하게 했습니다. 오랜 시간 동안 이런 문제는 일반 사람들에게 깊은 실망, 걱정, 분노, 슬픔이란 감정을 새겼습니다. 왜냐하면 가장 많은 부를 가진 사람들이 계속해서 우리 사회에서 부를 축적하는 동안, 자신들은 어려움만 겪었기 때문이죠. 이는 경제적인 문제이기도 하지만 아주 커다란 정치적 이슈이기도 합니다.

최근 수십 년 동안 승자와 패자의 격차가 심화되고 있고 이것이 양극화를 일으키고 있죠. 이런 문제는 사람들을 분절시키고 있습니다.

승자와 패자로 나뉘는 이분법적인 사회 문제는 앞서 언급하신 점점 심각해지는 불평등으로부터 기인하기도 합니다. 그러니 우리는 불평등을 심화시켜 왔으며, 글로벌화 과정에서 널리 퍼진 '성공에 대한 생각'을 바꿀 필요가 있습니다.

  제가 앞에서 말했듯 정상에 오른 사람들이 성공을 오직 그들 자신의 힘으로 이루어 낸 것이라고 생각하는 것이 대표적인 예입니다. 이들은 성공은 자신이 가진 능력을 증명하는 것이며, 자신에게 쏟아지는 시장의 수많은 보상을 모두 당연하게 받을 자격이 있다고 생각합니다. 이러한 생각은 필연적으로 이들과 달리 어려운 삶을 사는 사람들이 그 고생을 감수할 필요가 있다는 생각으로도 이어지게 됩니다. 이 같은 사고방식은 성공하지 못한 사람의 실패는 오로지 실패한 사람 자신의 탓이라고 생각하게 만듭니다. 성공 논리의 가혹한 윤리라고 할 수 있는데, 이런 생각이야말로 양극화의 가속화에 큰 영향을 미쳤습니다. 성공, 즉 승자와 패자에 대한 이러한 가혹한 태도가 불평등의 상처에 모욕을 더한 셈이죠. 저는 이런 태도가 우리 사회를 분열시키고, 우리의 정치를 양극화시켰다고 생각합니다. 왜냐하면 전 세계의 민주주의 국가에서 이러한 방식의 정치가 사람들에게 아주 깊은 영향을 남긴 것을 목격해 왔기 때문입니다. 사람들은 이런 정치에 깊이 좌절했으며 동시에 깊이 양극화되어 왔습니다. 이는 우리 시대의 가장 큰 정치적 어려움 가운데 하나입니다.

Q 양극화에 대한 교수님의 의견이 매우 인상적입니다. 양극화에 관한 문제는 제대로 파악하기 아주 어려운 이슈라는 생각도 드는데요. 이 문제를 해결할 방법이 있을까요?

A 몇 가지 해결책이 있습니다. 물론 다른 의견을 가진 사람들도 있겠죠. 우리는 주류 정치인들과 정당들이 제시한 불평등에 대한 의견을 비판적으로 검토하는 것부터 시작해야 합니다. 예를 들자면 이런 거죠. "새로운 경제에서 어려움을 겪고 있거나, 임금 정체나 일자리를 찾는 데 어려움을 겪고 있다면, 대학 학위를 취득하여 스스로를 향상시키십시오." 하는 것들입니다. 정치인들은 수십 년 이상 이런 식으로 이야기해 왔습니다. "세계 경제에서 경쟁하고 승리하고 싶다면, 대학에 가세요. 당신이 무엇을 배우느냐에 따라 당신이 버는 돈은 달라질 것입니다. 노력하면 이룰 수 있어요."와 같은 말들요. 우파, 좌파를 막론하고 모든 정치인이 어려움을 겪는 사

람들에게 이런 식으로 말해 왔습니다. 하지만 저는 이것이 적절하지 못한 해결책이라고 생각합니다.

먼저 저는 더 많은 사람들이 대학에 가는 것에 전적으로 찬성합니다. 분명 그건 좋은 일입니다. 제 인생의 대부분을 대학에서 보냈을 만큼요. 또 저는 한국이 세계에서 가장 교육을 잘 하는 나라 중 하나라고 생각합니다. 하지만 불평등에 대한 해결책으로, 사람들에게 대학에 가서 자신을 증명하라고 말하는 것은 적절한 해결책이 아닙니다. 또 정치인들은 곧잘 "성공의 사다리를 오르기 위한 경쟁을 할 수 있도록 돕겠다."라는 말을 해 왔지만 그들은 정작 중요한 사실 하나를 놓치고 말았습니다. 바로 사다리의 계단 사이 간격이 점점 더 넓어지고 있다는 것이죠. 사다리가 점점 더 가팔라지고 있는 상황에서, "스스로를 계발해 사다리를 오를 수 있도록 하라"고 말하는 것만으로는 충분하지 않습니다. 분명 다른 해결책이 있을 것입니다. 요점을 바꿔 말씀드리겠습니다. 개인의 상향 이동은 바람직하지만 충분한 답은 아닙니다. 왜냐하면 이런 식의 계급 상승은 쉽지 않기 때문입니다. 사회적 계층 이동은 사실 매우 어렵습니다. 특히 우리 사회가 점점 더 불평등해지는 상황에선 말이죠.

아메리칸 드림을 예로 들어 보겠습니다. 미국인들 가운데 종종

불평등에 대해 그렇게 많이 걱정할 필요가 없다고 말하는 사람들을 보기도 합니다. 왜냐하면 미국에선 부자가 되는 사다리를 올라가는 것이 가능하다고 생각하기 때문입니다. 그러나 이것은 더 이상 사실이 아닙니다. 다음 세대가 그 전 세대보다 더 높은 계급으로 상향 이동하는 비율은 미국보다 오히려 일부 북유럽 국가가 훨씬 높습니다. 전 세계 국가를 대상으로 OECD가 진행한 조사를 살펴볼까요? "저소득 가정에서 태어난 사람을 기준으로, 그 가정을 최상위가 아닌 중산층으로 올리는 데 몇 세대가 걸릴까?"하는 질문이었습니다. 연구 결과, 덴마크에서는 2세대가 걸리는 것으로 나타났습니다. 다른 북유럽 국가에서는 3세대가 걸립니다. 미국과 한국에서는 한 가정을 저소득층에서 중산층으로 끌어올리는 데 5세대가 걸린다고 합니다. 무려 5세대요. 따라서 개인의 계급 상향 이동은 불평등에 대한 대안이 될 수 없습니다.[1]

우리는 대학 교육을 받지 않은 사람들이 만족스럽고 존중받는 일을 하기 어렵게 만든 조건들을 들여다보고, 바꾸어야 합니다. 그들이 가족을 부양할 수 있고 또한 자신에 대한 자부심을 가질 수 있는 적절한 임금을 지불해야 합니다. 만일 그렇지 못할 경우, 이것은 양극화를 제공하는 또 하나의 원인이 될 수 있습니다. 경제적으로 어려움을 겪고 있는 사람들은 물질적인 시간이라는 측면에서도 어려움을 겪기 쉽기 때문입니다. 또한 일은 단순히 생계의 문제만은 아니며 한 사람이 경제와 공공의 이익에 기여하면서 사회에 참여하고 인정받는 과정이기도 합니다. 저는 사람들이 그들이 하는 일에 대한 인정과 자부심을 얻을 기회가 없을 때 양극화가 더 심해진다고 생각합니다. 우리가 오늘날 정치에서 느끼는 많은 분노는 이로 인해 일어나는 것입니다.

세계화의 붕괴로 위협받는
공정과 정의

Q 다음으로는 탈세계화, 보호주의에 대해 질문하겠습니다. 최근 들어 세상이 분열되고 있습니다. 크게는 미국과 유럽 중심의 무리, 그리고 중국과 러시아 중심의 무리로 분리되고 있다고 볼 수 있겠죠. 세계화는 중단되었고 탈세계화는 가속화되고 있습니다. 이 같은 움직임은 세상의 공정과 정의를 위협할까요? 어떻게 보시나요?

A 매우 흥미롭고 어려운 질문입니다. 지금 우리가 탈세계화의 진행 과정에 있다는 당신의 말에 저도 공감합니다. 탈세계화라는 개념은 국경의 경계가 약해질 거라는 생각이 수십 년간 퍼진 이후에 등장했습니다. 기업들은 세계적인 공급망을 보유하고 있으

며 업무의 아웃소싱과 오프쇼어링을 가지고 있었습니다. 불행하게도 미국이 자국 통화, 은행 또는 지역 산업에 대한 제한이나 보호 없이 국가 간 자본의 무제한 이동을 허용하도록 강하게 압박하고 강요했습니다. 저는 이것을 초세계화hyper globalization 라고 부르고 싶습니다. 초세계화는 시장에 대한 우리의 믿음을 끌어올렸죠. 자본 흐름에 대한 모든 장벽을 제거하면, 우리 모두가 더 나아질 것이라는 믿음 말입니다. 하지만 우리는 이제 이것이 사실이 아니라는 점을 알고 있습니다. 오히려 이런 생각이 심각한 금융 위기를 만들어냈다는 사실을 목격했습니다. 지금은 벗어났지만, 한때 많은 사람이 금융 위기로 인해 매우 오랜 시간 고통을 겪었습니다.

저는 팬데믹이 먼 공급망에 의존하는 것에 대한 문제점을 잘 보여주었다고 생각합니다. 대표적인 예가 마스크입니다. 코로나19 시기 미국을 포함한 많은 국가와 사람들이 마스크를 사려고 했습니다. 그러나 많은 마스크를 빠르게 구하기 어려웠습니다. 왜죠? 더 이상 자국 내에서 이를 생산하지 않았기 때문이죠. 미국은 직접 마스크를 생산할 수도, 코로나19로부터 사람들을 보호할 수도 없었습니다. 이러한 경험을 계기로 변화가 시작되었습니다. 점점 더 많은 나라가 자국민의 건강과 삶을 지킬 수 있는 필수적인 생산 인프라를 갖추도록 노력하기 시작했다고 봅니다.

그렇다고 해서 제가 무역이 중요하지 않다거나, 무역을 없애야 한다고 말하는 것은 아닙니다. 다만 우리는 시장의 믿음, 즉 초세계화를 초래하는 극단적인 시장의 믿음에 대해 다시 생각해 볼 필요가 있다는 것입니다. 우리는 부분적으로 전염병 때문에, 그리고 러시아와 우크라이나 전쟁으로 인해, 악화된 공급망 문제가 여전히 존재한다는 것을 알고 있습니다. 그래서 여러 나라에서는 타국과의 무역 관계를 강화하여 이를 돌파하려고 하고 있습니다. 동맹국과 경제적 이익 사이에서 균형을 맞추려고 노력하는 우호적인 국가들과 보다 더 강한 무역 관계를 갖는 방법을 취하는 것이죠. 아주 중요한 부분입니다. 또한 경제적 관계를 뒷받침하는 신뢰할 수 있는 관계도 필요합니다. 저는 우리가 이렇듯 불안정한 금융 위기를 초래한 시장 믿음과 극단적인 초세계화를 다시 되새겨보는 시간을 보내고 있다고 생각합니다. 그동안 우리 사회는 금융 산업에 대한 규제만 완화하면 시스템적인 위기와 위험을 줄일 수 있다고 믿어왔습니다. 그러나 이런 생각은 이미 2008년 금융 위기를 통해 사실이 아닌 것으로 판명되었습니다. 그렇다고 해서 단순히 금융 산업을 규제하는 것은 오히려 더 심한 금융 위기를 초래하기도 합니다.

그래서 저는 번영을 만드는 시장의 역할을 제대로 짚되, 이에 대한 극단적인 믿음을 갖지 않는 방식으로 생각을 바꿔야 한다고 말하고 싶습니다. 극단적인 믿음이란, 시장이 국가의 경계와 책임에 대한 모든 장벽보다 우선해야 한다는 생각을 말합니다. 이런 생각에 의해 세계는 깊은 어려움에 처하게 됐습니다. 저는 여전히 국내는 물론 경제에 관한 국제적인 협약을 맺는 데 영향을 미치는 정부가 해야 하는 중요한 역할이 있다고 생각합니다. 극단적인 반규제주의로 인한 위험 요소를 조금이나마 없애기 위한 방법이죠.

Q 세계화 시대에는 서로 다른 무역 권역과 협력 관계를 맺는 것이 점점 더 중요해지고 있다고 언급하셨는데요. 이런 관점에서 특히 중국이나 미국과 좋은 관계를 유지하려 노력하는 국가들이 정치적인 선택을 하기란 매우 어려울 것으로 보입니다. 물론 한국의 경우도 예외는 아닙니다. 교수님께서는 이에 대해 어떻게 생각하시나요?

A 아주 복잡한 것 같아요. 한국은 이미 중국과 미국, 두 나라 모두에 의존하고 있습니다. 그러나 정치적인 문제에 있어서는 두 관계 중 하나를 포기해야 하는 상황에 놓이게 되었습니다. 한국은 미국을 선택하는 과정에 있는 것 같습니다. 이제 마그네슘, 리튬 등 일부 재료를 어떻게 수입할지가 큰 문제입니다.

Q 배터리(이차전지)를 만드는 재료 말씀이시군요.

A 네, 맞습니다. 다시 말해 그린 에너지와 효율적인 인프라라고 할 수도 있겠죠. 중국 등 몇 나라처럼 이를 만드는 데 필요한 자원을 가진 나라도 있으나, 그렇지 못한 나라도 있습니다. 이제는 자원

수입 구조 자체를 바꿀 때입니다. 물론 아주 어려운 문제이긴 하지만요. 예를 들어 보겠습니다. IPEF(인도-태평양 경제 프레임워크)에 대해 들어본 적 있으십니까? 미국은 중국 없이 큰 글로벌 시장을 만들기 위해 노력하고 있습니다. 이제 베트남, 필리핀 등 IPEF에 참여하는 국가로부터 이런 자재를 수입할 수 있는 구조를 만들고 있죠.

이런 생각은 마치 경제가 정치로부터 독립할 수 있다는 가정에서 나오는 것으로 보입니다만, 이미 그렇지 않다는 것을 우리 모두가 배우고 있습니다. 국가들의 경제적 선택은 필연적으로 그리고 어쩔 수 없이 정치적 상황과 연결되기 때문이죠. 이는 지금의 탈세계화 시기에 점점 더 분명해지고 있습니다.

디지털 격차가 만드는
새로운 불평등

Q　자, 이제 과학기술 분야로 넘어가 보겠습니다. 디지털 격차, 디지털 갭에 대해 다루어 보려 합니다. 아날로그에서 디지털로의 전환이 빠르게 가속화되고 있다는 것은 명백한 사실입니다. 특히 메타버스와 가상 자산은 현재 큰 화제이자 문제 거리이기도 하죠. 어떤 사람들은 이러한 기술에 매우 우호적인 반면 어떤 사람들은 그렇지 않고, 이와 더불어 디지털 격차는 더 커지고 있습니다. 과학기술로 인해 나타나는 새로운 사회 환경에 대해서도 새로운 공정 논의가 필요할까요?

A　저는 디지털 시대의 공정성과 정의에 대해 두 가지 문제를 이야기하고 싶습니다. 그 중 하나는 방금 언급하셨던 디지털 격차입

니다. 경제, 교육 및 학습에 대한 접근성은 빠르고 품질이 좋은 인터넷과 새로운 통신 기술에 대한 익숙함에 달려 있습니다. 이는 최근 팬데믹만 살펴보아도 알 수 있는 부분입니다. 코로나19 기간 동안 재택으로 일을 하거나 온라인으로 수업을 받은 사람들과, 직업을 잃은 사람들 사이에 깊은 차이가 발생하는 것을 보며 이를 더욱 크게 느꼈습니다. 일부 사람은 집에서 일하는 사람에게 물건을 배달하는 과정에서 위험에 노출되어야 했습니다. 이는 고용과 직업 그리고 위험에 관한 정보 격차를 극단적으로 만들었죠.

이러한 격차를 해결하려면 업무를 위한 디지털 기술이 필요하며, 이것이 공공자원이라는 것을 가르치고 배우는 과정이 필요합니다. 우리가 모든 사람이 수돗물과 전기에 접근할 수 있다고 가정하는 것과 마찬가지로 디지털 기술 역시 공공자원으로 받아들여야 하는 거죠. 이제 우리는 모든 사람이 업무와 학습을 위해 인터넷이나 디지털 접속을 할 수 있도록 해야 합니다. 이것은 하나의 도전입니다. 정의와 공정성, 그리고 인터넷이 일종의 공공자원이라는 생각에 대한 접근과 분배의 문제입니다.

다음으로 디지털 하이테크 시대에 공정과 정의를 위한 또 다른 도전에 대해 말하고 싶은데요. 소셜 미디어의 역할과 소셜 미디어 회사의 비즈니스 모델과 관련이 있습니다. 메타버스를 언급하셨지만, 페이스북이나 인스타그램, 유튜브 그리고 이것과 비슷한 여러 나라의 소셜 미디어를 생각해 보죠.

오늘날 젊은이들은 길을 걸을 때도, 교실에 앉아 있을 때도, 심지어는 밥을 먹을 때도 화면을 보고 있습니다. 저녁 식탁에 앉은 우리 아이들도 마찬가지랍니다. 그들은 항상 휴대폰이나 태블릿 PC 등 디지털 기기를 들여다보고 있습니다.

이런 이들이 교실에서 어떻게 배울 수 있을까요? 아이들은 진정 가족이 모여 저녁 식사를 하는 식탁에서 가족들과의 대화에 참여하는 대신 화면만 쳐다보기를 원하고 있는 걸까요? 저는 매우 걱정이 됩니다. 그래서 제 강의실에선 규칙까지 세웠어요. 바로 화면 보지 않기 약속입니다. 제 수업에는 화면도 없고, 노트북도 없고, 태블릿 PC도 없고, 휴대폰도 없어요. 수업 중에 이것들이 눈에 보이면 안 됩니다. 한국에서도 이런 시도를 하고 있나요? 아니면 학생들이 휴대폰이나 노트북만 보고 있나요?

Q 휴대폰이나 노트북을 보기도 하죠. 하지만 몇몇은 메모를 적기 위해 화면을 보기도 합니다.

A 필기하는 건 조금 다른 경우이겠군요. 하지만 그들이 수업에 대한 필기를 하고 있는지 아니면 새로운 운동화를 쇼핑하고 있는지 어떻게 알 수 있을까요? 그리고 제가 수업에서 중요하게 여기는 가르침 중 하나는, 바로 학생들의 관심을 사로잡고 그들이 함께 생각할 수 있도록 해야 한다는 것입니다. 제가 말하는 것을 일방적으로 듣기만 하는 것이 아니라, 함께 질문을 생각해내거나, 제 질문에 대답하거나, 서로에게 대답하는 것입니다. 하지만 이런 종류의 진정한 배움에 참여하게 하기 위해서는 저뿐만 아니라 서로에게 귀를 기울여야 합니다. 그리고 함께 생각하고, 함께 추론하고, 때때

로 서로에게 동의하지 않은 채 치열하게 논쟁하면서 말입니다. 그것이 제가 정치철학을 가르치는 방법입니다. 저는 잘 모르지만 아마도 다른 전공은 이보다 덜할 수도 있겠죠? 어쨌든 적어도 제 수업에서는 분명합니다.

덧붙여 저는 소셜 미디어 회사들의 비즈니스 모델에 대해 말하고 싶습니다. 그들은 이용자들의 개인정보나 데이터를 수집하기 위해 지나칠 정도로 사람들의 관심을 모으려 합니다. 그리고 이 관심을 계속 유지하려 노력하죠. 그리고 그렇게 얻은 데이터를 바탕으로 우리를 겨냥한 광고들을 내보내고 있습니다. 이것이 과연 바람직한 비즈니스 모델이라 할 수 있을까요? 앞서 말한 문제가 공정성 차원이라면, 이것은 지나치게 높은 접근성인 셈입니다.

Q SNS 중독처럼요?

A 그렇습니다. 우리는 점점 중독되고 있습니다. 어릴 때부터 디지털 기기를 사용해 온 젊은 사람들은 더욱 그렇죠. 여러분은 오늘 저와의 인터뷰를 위해 하버드를 방문하면서 학생들이 이곳 캠퍼스를 걸어 다니는 모습을 보았을 것입니다. 참으로 아름다운 풍경이

죠. 나뭇잎이 무성하고 하늘은 밝습니다. 이렇게 아름다운 캠퍼스 환경 속에서 서로 이야기를 나누고 아름다운 자연을 즐겨야 마땅하지만, 현실은 어떤가요? 너무 많은 사람들이 휴대폰을 보며 걷고 있습니다. 이건 큰 손해가 아닐 수 없습니다. 제 생각엔 이것 역시 정의와 공정성의 문제인 것 같습니다. 아닌 것 같다며 고개를 갸웃할 수도 있겠죠. 그렇다면 좋은 삶에 대한 문제라고 해볼까요. 자, 좋은 삶이란 뭔가요? 제가 제안하는 것은 공정성 문제에 있어 모든 사람에게 접근권을 주는 것입니다. 다만 좋은 삶이란 우리에게 주어진 인터넷 접근권 같은 것에 중독되는 방식이 아니라 보다 생산적인 방법으로 사용할 수 있도록 가르치는 것이라고 할 수 있습니다.

결론적으로 제 고민은 '기술이 우리가 사는 사회의 공동선the common good에 미치는 영향이 무엇일까' 하는 문제입니다. 우리는 여러 측면에서 말 그대로 기술의 시대를 살고 있습니다. 물론 이를 통해 생활이 아주 편리해졌죠. 휴대폰, 소셜 미디어, 전자기기를 통해 친구와 대화하고 깨어 있는 매 순간 즉시 사진과 영상을 주고받을 수 있죠.

　하지만 그만큼 전자기기와 소셜 미디어에 대한 중독 문제도 생겨났습니다. 저는 소셜 미디어가 양극화에 더 안 좋은 영향을 미치고 있다고 생각합니다. 앞서 말했듯이 뉴스 피드 자체가 해당 소셜 미디어를 운영하는 거대한 회사에 의해 좌우되기 때문이죠. 소셜 미디어 회사들은 그저 많은 사람의 관심을 모으고 싶어 합니다. 그래서 우리에게 정보를 제공하지만, 한편으로는 우리의 시선을 잡아두기 위한 잘못된 정보를 뿌리기도 한다는 것입니다. 충격적이고 센세이셔널한 것, 스캔들과 같은 가십거리… 때로는 사실과 다른 것들도요. 이러한 수많은 정보는 결국 우리가 계속 소셜 미디어를 보도록 유도할 것이고, 이를 통해 회사는 더욱 많은 개인에 관한 데이터를 모을 수 있을 것입니다. 회사는 당연히 이를 광고 판매에 사용할 것이고, 이는 타겟 광고가 되어 다시 우리에게 돌아옵니다.

저는 이런 사업 모델이 해롭고 비뚤어졌다고 생각해요. 이런 움직임을 제한할 방법이 있기를 바랍니다. 물론 많은 젊은이들이 동의하지 않을지도 모르지만, 이 모든 서비스가 유료 구독 서비스라면 더 좋을 거라고 생각합니다. 잡지나 신문처럼 돈을 지불하여 구독하는 대신 많은 양의 개인 데이터를 주지 않는 모델이죠. 지금처럼 타겟 광고의 폭격 속에 있지 않아도 될 것입니다. 이런 서비스들은 계속해서 우리의 시선을 끌기 위해 이미 관심 있는 쪽으로만 우리를 이끕니다. 따라서 우리와 의견이 다른 사람들의 생각과는 연결되지 않습니다. 우리가 기존에 가진 생각들을 바꿀 만큼 합당한 증거를 가진 신뢰할 만한 정보로 이어지지도 않습니다. 시민으로서의 학습은 생겨나지 않고, 더 깊은 분열 속으로만 빠져들게 합니다. 이런 문제의식 때문에 저는 소셜 미디어의 디지털 기술이 민주주의에 미치는 위협에 대해 할 수 있는 것이 무엇일까 생각해 보고, 건강한 삶에 대해 배우고 가르치고자 합니다.

Q 지금껏 생각해 본 적 없는 부분인데 아주 공감됩니다. 덕분에 큰 통찰을 얻게 됐습니다. 과학기술의 발전과 관련하여

또 다른 질문을 드리려 해요. 인공지능과 로봇에 대한 이야기입니다. 인간처럼 생각하고 행동하는 로봇이 갈수록 정교해지고 있습니다. 우리 삶의 영역 안으로 인공지능과 로봇이 점차 들어오고 있다는 것을 느끼고 있죠. 인간과 인공지능의 공존 측면에서 새로운 윤리 시스템이 준비되어야 한다고 생각하십니까? 이제 우리가 함께 공존해야 하는 상황이니까요.

A   인공지능의 발전은 우리에게 커다란 윤리적 질문을 던진다고 생각합니다. 인공지능과 로봇이 발전하면서 제기된 가장 중요한 윤리적 질문 중 하나는 '인간의 일자리가 사라질 것인가?'입니다. 많은 이들이 인공지능과 로봇 때문에 사람이 일자리를 잃게 될 것이라고 걱정하죠. 그리고 실제로도 이미 우리 사회는 이런 문제를 겪고 있습니다. 기존에는 마트에 가서 식재료를 골라 계산대로 가져가면 직원이 계산을 도와주고 결제를 했습니다. 하지만 요즘은 어떤가요. 직원 대신 기계가 있는 곳이 많아졌습니다. 무인 키오스크에서 물건을 스캔하고 계산하죠. 물건을 스캔해주는 직원이 기계로 대체된 것입니다. 이런 방식으로 로봇이나 기계가 일자리를 대체하는 것을 과연 발전이라고 보아야 할까요? 삶의 질을 올려주

나요? 인간의 복지가 증가하나요? 아니면 이 시스템이 마트에 더 큰돈을 벌게 해주나요? 저는 제가 사려는 물건들을 기계에 스캔하는 것을 좋아하지 않습니다. 마치 제가 그 마트의 직원이 되어버린 것 같거든요. 이런 상황은 더 큰 질문으로도 이어질 수 있습니다.

인공지능은 강력한 도구입니다. 인공지능과 결합한 로봇은 올바른 방법으로 사용하면 생산성을 높일 수 있겠죠. 하지만 누가 어떤 종류의 인공지능을 사용할지, 어디에 어떤 로봇을 사용하게 할지는 우리 시민이 결정해야 합니다. 저는 이것이 민주주의 사회 일원으로서 우리가 논의하고 토론해야 하는 질문이라고 생각합니다.

만약 우리가 실리콘밸리의 기업가들에게 이 결정을 맡겨버린다면, 그들은 일자리를 없애는 것이 기업의 비용 절약에 도움이 될 것이라 생각하고, 수많은 곳에 로봇을 사용하기로 결정할 것이기 때문입니다.

저는 인공지능과 로봇이 일자리를 없애는 것이 아니라 오히려 일자리를 늘리고 강화하는 데 활용되어야 한다고 생각합니다. 고학력을 갖추지 않은, 전문직이 아닌 노동자들이 수행하는 일자리를 더욱 생산적으로 만들고, 이로 인해 노동자들의 임금이 증가하도록 만드는 데 사용될 수 있습니다. 예를 하나 들어 보죠. 상점에서 일하는 사람들을 돕기 위해 기계와 로봇을 사용할 수 있습니다. 기계장치를 활용하여 재고 조사를 할 수도 있고, 브랜드별로 어떤 제품이 얼마나 많이 팔렸는지 정확히 알 수 있습니다. 많이 판매되는 상품을 알아내서 재주문하는 기술적인 방법도 있을 수 있습니다. 이렇게 하면 이 일은 더 생산적이고 더 가치 있게 됩니다. 이처럼 제 생각에는 일자리를 없애려는 기술과 근로자의 생산성을 향상시키기 위해 일자리를 늘리려는 기술 사이에는 차이가 있습니다. 전통적으로 걸레와 양동이를 들고 밤에 바닥을 청소하는 건물의 유지보수 직원을 예로 들어 보죠. 이 사람들은 많은 급여를 받지 못합니다. 하지만 우리가 그들에게 힘을 실어주기 위해 기술을 사용한다고 가정해 보죠. 바닥을 닦는 것뿐만 아니라 기계 장치로 열, 에어컨, 전기, 건물의 온도, 그리고 상점을 열고 닫고, 창고가 열리고 닫히고… 이런 여러 가지 변화들을 감지하는 것도 가능할 것입니다. 건물이 에너지 효율성을 높일 수 있도록 데이터 값을 입력할 수도 있죠. 아주 생산적인 기술 활용입니다. 이와 같은 기술들을 사용하여 유지보수 작업자의 생산성을 높이고 그에 맞춰 임금도 인상한다면 어떨까요.

제가 이런 이슈들을 실리콘밸리에만 맡길 게 아니라 공론화가 필요하다고 말하는 이유입니다. 그냥 맡겨 둔다면, 그들은 그저 일자리를 없애려고 할 것입니다. 이것은 기업의 당연한 본능입니다. 하지만 반대로 생각할 수도 있는 거죠. 어떻게 하면 기업의 기술 개발을 장려할 수 있을까요? 어떻게 하면 기업이 중간이나 저기술 일자리를 더 생산적으로 만드는 기술에 투자하여 그 일자리의 임금을 높일 수 있을까요? 저는 이러한 질문을 던지는 것이 기술 운영에 있어 가장 큰 도전 가운데 하나라고 생각합니다. 우리는 때때로 기술 변화를 가정하여 미래를 생각합니다. 경제학자들은 이를 추측하기도 하죠. 기술 변화는 외부에서 작동하는 힘에 의해 발생합니다. 내 의지와 상관없이 변화하지만, 결국엔 변화한 환경에 우리 모두가 적응해야 하죠. 우리는 로봇이 삶에 들어온다고 가정하며, 로봇이 내 일자리나 다른 누군가의 일자리를 차지할지를 걱정하지만 기술은 자연의 변화와 다릅니다. 그냥 자연스럽게 일어나는 것이 아닙니다. 기술은 특정한 관심사, 정부나 기업들의 투자 방향에 따라 반응합니다.

여기서 중요한 것은, 민주적인 사회에서 사회구성원들이 다음의 질문에 함께 답하는 것입니다. '기술을 통해 저숙련 및 중숙련 노동자의 생산성을 높이는 방법으로 어떻게 기술을 조종할 것인가'하는 것입니다. 이 질문의 답을 찾는 것은, 불평등에 대한 논의로 돌아가는 것을 막고 나아가 불평등 자체를 줄일 수 있는 한 가지 방법입니다.

기후 위기에 대한
공정한 책임론

Q 우리는 기후 변화와 환경 문제의 중요성을 이미 알고 있습니다. 곧 기후 변화는 우리에게 가장 큰 위기가 될 것으로 보입니다. 기후 변화 때문에 우리 사회가 어떤 대가를 치르게 될 것이라고 생각하나요?

A 기후 변화를 다루기 위해 우리는 지금까지보다 훨씬 더 나은 방법을 찾아야 합니다. 이는 국가 내에서도 부정할 수 없는 사실이고 전 세계적으로도 꼭 필요한 일입니다. 기후 변화에 대응하는 것은 개별 국가의 힘으로 해결할 수 없기에 세계적인 협력을 필요로 할 것입니다. 그러나 지금까지 보아온 것처럼 이는 매우 어렵습니다. 국가들 사이에서 탄소 배출을 줄이는 데 들어가는 비용을 누가 부담해야 하는지에 대한 의견이 일치하지 않으니까요. 미국을 비롯한 선진국들은 "중국과 인도 같은 개발도상국들이 엄청난 탄소를 배출하고 있으니 가장 큰 비용을 부담해야 한다."고 말합니다. 반대로 개발도상국들은 미국과 선진국들에게 "당신들은 산업혁명 이후 많은 탄소를 배출해 왔으니 탄소 배출과 기후 변화에 대한 역사적 기여에 책임을 져야 한다."고 말합니다. 이러한 논쟁에 대해, 우리는 공유된 규범을 확립할 수 있는 방법을 찾아야 합니다. 이는

많은 면에서 기술적인 문제처럼 보이지만 사실은 윤리적이고 정치적인 도전이기도 합니다. 기후 변화는 우리에게 규범과 가치를 바꿀 것을 요구하기 때문입니다. 세계적인 협력과 자연과의 관계 측면에서 말이죠.

삶의 모든 방향에서 우리는 녹색 경제로의 전환이 필요합니다. 화석 연료로 움직이는 자동차보다 전기 자동차를 타야 하는 것처럼요. 당연히 이 과정에 기술적인 문제가 포함되며 막대한 경제적 투자도 필요합니다. 그래서 우리는 녹색 경제를 만들기 위해 우리의 경제를 재구성해야 합니다. 물론 기술적, 경제적 변화 외에도 우리가 자연과 살아가기 위한 윤리적, 정치적 변화도 필요합니다. 왜냐하면 우리는 너무 오랫동안 자연에 대해 공리주의적 입장을 취해 왔기 때문입니다. 자연계는 우리가 원하는 대로 사용할 수 있다는 생각이죠. 공기나 물에 오염 물질을 버리거나 우리의 필요와 욕구를 충족하기 위해 오래된 숲을 없애고 나무를 잘라내도 그만이라는 생각들이 바로 그것입니다. 이런 생각은 자연에 대한 인간의 입장, 즉 우리가 자연을 우리 뜻대로 이용할 수 있다고 여기는 지배력과 지배권을 반영합니다. 자연에 맞서서 우리가 원하는 것은 무엇이든 할 수 있다는 것이죠. 하지만 그것은 자연이나 그 안에 있는 우리의 위치에 대한 올바른 관점이 아닙니다. 우리는 자연계가 인간의 삶과 공동체 그리고 목적을 위한 집이라고 봐야 합니다. 자연이 목적을 갖고 우리를 위해 쓰일 대상이 아니라 '우리의 집'이라면, 우리가 자연계를 일종의 존경심으로, 심지어 경외심으로 대해야 하는 거죠. 그리고 우리가 자연에 대한 존경심이나 경외심을 가질 때, 비로소 우리가 자연을 생산 활동에서 나오는 쓰레기를 버리는 장소로 취급하지 않을 가능성이 커집니다. 지배하고, 지배당하는 관계에서 생각하기보다는 자연과 조화롭게 사는 방법을 개발해야 하는 거죠. 가치관을 바꾸고, 태도를 바꾸고, 자연과 함께 사는 방식을 바꾸는 것은 기술적, 경제적 도전보다 훨씬 더 어려운 일입니다.

제가 자연에 대한 생각과 가치관의 변화가 중요하다고 힘주어 말하는 이유는 우리의 모든 기술이 그런 생각에서 자라나서 점점 견고하게 만들어지기 때문입니다. 저는 우리가 자연과 함께 사는 태도나 방식을 바꾸지 않는다면 기후 문제를 해결할 수 없을 것이라고 봅니다. 그 변화를 위해서는 우리 경제를 약간 희생해야 할 수도 있습니다. 물론 지금 당장은 사람들이 녹색 경제를 가져오기 위해 희생하려 하지 않을 것입니다. 자연과 함께하는 것이 서로에게 더 나은 삶의 방식이 될 것이라고 확신하지 않는 한 말입니다. 그래서 저는 기후 변화가 기술적, 경제적 도전일 뿐만 아니라 도덕적, 심지어 정신적 도전이라고 생각합니다.

불평등에 대한 우리의 인식,
그리고 변화를 위한 첫걸음

Q 마지막으로 한국 사회에 대한 질문을 하고 싶습니다. 교수님의 책 『정의란 무엇인가』는 베스트셀러가 되어 많은 사람들의 공감과 관심을 불러일으켰습니다. 그러나 반대로 교수님께서 전한 메시지에 대한 오해도 많은 것 같습니다. 책이 그렇게 많이 팔렸는데, 능력주의가 가장 공고한 나라가 한국이라는 사실 자체가 그 증거죠. 왜 이런 상황이 일어났다고 보십니까?

A 한국이 치열하게 경쟁적인 능력주의 사회인 건 사실입니다. 한국은 교육을 아주 중시하여, 사람들의 평균 교육 수준이 굉장히 높은 나라 중 하나이죠. 미국도 한국과 마찬가지로 아주 심각한 능력주의 나라이면서, 불평등한 나라입니다. 중요한 사실은 고도로

경제가 발달한 민주국가 중 미국과 한국이 가장 경쟁적인 능력주의 사회라는 것입니다. 동시에 가장 불평등한 나라들이기도 하죠. 이 두 가지 경향이 함께 간다는 것이 우연은 아닐 것입니다. 다만 제가 한국에서 대중 강연을 통해 청년층과 이야기를 나누었을 때 대화 과정에서 큰 차이를 발견했습니다. 바로 미국과 한국 대중의 불평등을 바라보는 시선의 차이입니다. 한국 사람들에게 한국이 평등한 사회인지 물으면 대부분은 그렇지 않다고 답하며, '불평등한 사회'라고 말합니다. 꽤 오래 전의 일이라 지금도 같은 상황일지는 확실하지 않으나, 제가 한국에 갔을 땐 분명히 그런 인식들이 있었습니다.

Q 맞습니다. 지금도 그렇습니다.

A 한국에서 불평등이 부당하다는 인식은 널리 퍼져 있습니다. 불평등의 정도가 극심하고 매우 분열되어 있어 미국보다 더하다고 볼 수도 있겠습니다. 미국과 한국은 모두 불평등한 사회입니다. 그러나 적어도, 한국인들은 "더 공정한 사회, 더 정의로운 사회를 위해 우리는 무엇을 해야 하는가"라는 고민을 하고 해결하기 위해 노력합니다. 물론 이런 고민을 통해 의미 있는 불평등 해소를 이뤄냈다고 보기는 어렵긴 합니다. 그러나 최소한 이러한 문제가 중앙 정치의 중요한 화두가 되고 있는데, 이는 문제를 해결하기 위한 첫걸음입니다.

제가 한국에 방문했을 때 인상 깊었던 것은, 이런 논의에 미국인들보다 한국인들이 더욱 적극적으로 참여한다는 것입니다. 미국 여론조사를 보면, 불평등을 사회 전체가 진지하게 고민해야 할 문제라고 인식하는 정도가 한국보다 확실히 낮습니다. 이런 인식이 문제를 해결하기 위한 첫 번째 단계인데도요. 인식은 그 자체로 문제의 해결책이 될 수는 없지만 적어도 출발점이 될 수는 있습니다. 아마 저에게 건넨 질문에 대한 답이 되리라 생각합니다. 한국 독자들이제 책에 열렬한 반응을 보내는 것은 어쩌면 제가 그런 문제 제기를 하고 있기 때문이죠. 전 세계 어디서도, 한국조차도 해결을 위한 효과적인 해법을 찾지 못한 '불평등을 줄이는 방법'에 대한 질문을 말이죠.

덧붙여서 한국인들이 불평등과 부당함을 예리하게 인식하고 있다는 점을 다시 한번 강조하고 싶습니다. 이는 문화적인 측면에서 봤을 때도 잘 드러납니다. 최근 한국 영화와 텔레비전 시리즈가 이러한 문제를 다루고 있죠. 실제로 정치와 문화 사이에는 많은 연관성이 있습니다. 가장 훌륭하고 인기 있는 한국 영화와 텔레비전 시리즈 중 일부를 보면, 때때로 매우 강력한 방법으로 우리가 승자와 패자의 사회를 만들 때 어떤 일이 일어나는지 보여줍니다. 세계적인 찬사를 받았던 영화 「기생충」이나 TV 시리즈인 「오징어게임」을 예로 들어 봅시다. 이 작품들은 그 자체로 세계적인 '현상'이 됐죠. 그토록 큰 반향을 불러일으킨 것은 물론 한국 영화나 TV 시리즈들이 세계적인 인기를 얻고 있다는 점도 있겠죠. 그러나 가장 큰 이유는 이 작품들이 불평등과 부정의를 정면으로 파고들었기 때문이라고 생각합니다. 뛰어난 배우들과 영화 제작자, TV 프로듀서들과 작가들이 승자와 패자라는 이분법에 빠진 우리 사회의 정의롭지 못한 면을 깊이 고민해 나타냈고 이 문화는 이제 한국을 넘어 전 세계로 퍼져 나갔습니다. 사람들이 우리가 승자와 패자로 나뉜 양극화된 세상에 살고 있다는 것을 깨닫기 시작했단 뜻이기도 합니다.

분명 전 세계인 모두가 더 이상 이런 식으로 살아갈 순 없다는 것을, 이 불평등을 해결하기 위해 무엇이라도 해야 하는 시기라는 것을 알고 있는 것입니다. 지구촌 전체가 마주한 딜레마를 잘 나타내는 뛰어난 문화예술적 결정체가 한국에서 탄생한 것뿐입니다. 이같은 현상을 통해 저는 이런 작품들이 나오기 전부터 제가 갖고 있던 생각이 맞다는 것을 확신했습니다. 물론 문화예술이 사회문제 자체의 해법은 될 수 없지만, 사회적인 인식과 공론의 형태를 바꾸는 역할을 할 수 있습니다. 그리고 이 역할은 아주 중요한 것이고요.

Q 저도 교수님의 의견에 동의합니다. 그런데 이상하게도 일부 정치인들이 개인적으로는 교수님의 의견에 동의하고 지지한다고 말하면서도, 지나치게 이상적이라서 그 의견을 현실 정치에 반영할 수는 없다고 말하는 경우도 있습니다. 여기에 대한 교수님의 의견이 궁금합니다.

A   글쎄요. 저는 사회를 위한 이상, 말하자면 우리가 어떻게 공존
해야 하는지에 대한 이상을 다루는 것이 정치철학의 본질이라고 생
각합니다. 우리는 어떻게 다 함께 살아갈 수 있을까요? 저는 이상
에 감동한 민주시민들이 정치적으로 충분한 상상력과 의지를 가진
다면, 이상과 희망을 현실 세계에서 실천으로 바꿔낼 수 있다고 믿
습니다. 유토피아적인 이상에 가까워지는 것이 아니라, 더 정의로
운 사회에 가까워지도록 할 수 있다고 믿고 있습니다. 그러니 시민
들 사이에 더 깊은 연대 의식이 자리 잡은 사회, 더 평등한 사회를
쉽게 포기해서는 안 된다고 생각합니다. 우리가 바라는 이상적인
모습이 현실에서는 일어날 수 없다고 생각한다면 단순한 캠페인
슬로건이 되고 말 것입니다. 저는 이상을 단지 이상으로만 여기
는 정도로는 부족하다고 생각합니다. 그건 오히려 현실성이 떨어
지죠. 불평등이 심화하는 걸 두고 본 우리는 그로 인한 폐해도 모
두 목격했습니다. 계속해서 심각해진 불평등은 사회적 연대와 결
속을 망가뜨렸습니다. 불평등은 점점 더 심각한 양극화를 만들었
고 공생을 힘들게 만들었습니다. 공생뿐 아니라 이에 대한 정치적
인 토론이나 협력을 만들기도 어렵게 됐죠. 이는 오히려 현실 정치
라는 관점에서도 승자와 패자의 이분법, 불평등을 그대로 두고 봐

서는 안 된다는 반증이기도 합니다. 사실은 우리 모두가 알고 있습니다. 정치인은 물론이고 시민, 심지어 단순한 방관자들, 정치 그 자체까지도 우리가 얼마나 양극화된 사회에 살고 있는지 알고 있지 않습니까?

제 나라인 미국의 상황에 대해 얘기해 보죠. 대통령 선거를 치렀고, 트럼프는 졌습니다. 하지만 그는 떠나지 않고 자신의 지지자들을 모아 미국 국회의사당에서 폭력적인 태도를 보였습니다. 누가 이런 상황을 상상이나 했을까요? 이것이 말이 된다고 생각하는 사람은 얼마나 있을까요? 이 일을 통해서 우리는 우리 사회가 얼마나 양극화됐는지 직접 확인했습니다. 아직도 공화당 쪽에서는 많은 이들이 이번 대통령 선거를 두고 '빼앗긴 선거'라고 주장하고 있습니다. 물론 전혀 사실이 아닙니다. 하지만 많은 사람들이 믿고 있죠. 왜 그럴까요? 아마도 우리가 아주 양극화됐기 때문입니다. 각 나라마다 정도는 다르지만, 양극화가 민주주의를 위협하는 일은 전 세계 어느 나라에서나 일어나고 있습니다. 아주 심각한 현실이죠. 그러니 정의와 공동선이 실제 삶에는 적용할 수 없는 이상일뿐이라고 말하는 것은 이미 현실에서 불가능한 일이 되어버린 것입니다. 그런 자세를 가져서는 안 되며 오히려 빈부 격차를 줄이고 승자와 패자의 간격을 줄이기 위해 경제를 재구성할 방법을 찾으려고 노력해야 합니다. 더 큰 공동체적 책임감을 키워야 하며, 이를 현실 정치적 프로젝트로 봐야 합니다. 단지 몽상가나 철학자들의 할 일이 아니라, 모든 사람이 해야 할 정치적 과업이죠. 물론 정당에선 동의하지 않을 수 있겠죠. 그러나 보수주의, 자유주의, 진보주의, 민주주의… 이런 정치 입장들은 애당초 모두 이념적인 것이 아니던가요?

Q 맞는 말씀이십니다. 그런 말씀을 듣고 싶었습니다.

A 한마디만 더 하자면, 제가 가르치는 주제는 철학, 그 중에서도 정치철학입니다. 어떤 사람들은 철학이 몽상가들을 위한 것이라고 말합니다. 철학은 우리가 살고 있는 세상 너머 하늘의 구름 속에 존재한다고요. 저는 동의하지 않습니다. 우리가 모두 생각하듯이, 철학과 이상은 우리 시민들이 살아가고 토론하는 바로 이 도시에 속해 있습니다. 이곳에서, 우리가 어떻게 함께 살아갈지에 대한 것이죠. 그러니 철학은 우리가 실제 살아가는 방법을 알려줄 수 있는 길이고, 정치적 이상은 우리가 이 사회에서 무엇을 만들어낼지를

결정하는 존재입니다.

Q 좋습니다. 그렇다면 교수님이 바라보고 그리는 다음 계획이 있을까요? 있다면 무엇인가요?

A 늘 생각 중입니다. 저는 정의에 대해서도 말했고, 무엇을 돈으로 살 수 없는지에 대해서도 말했고, 좋은 사회에서 시장의 역할이 무엇인지에 대해서도 말했습니다. 능력주의의 함정에 대해서도 말했죠. 공공선을 어떻게 찾을 수 있을지에 대해서도요. 요즘 고민하는 주제는 민주주의입니다. "민주주의에 미래가 있는가?" 하는 질문입니다. 저는 그 대답이 "그렇다."이길 바라지만 그러면 여기서 다시 질문이 생겨납니다. "민주주의를 되살려내기 위해 무엇이 필요할까요?"

능력주의와 이분법의 문제는 민주주의 문제와 연결되어 있는 부분이 있습니다. 여러분과 함께 이러한 부분을 토론해 보고 싶습니다.

Q 이제 마무리할 시간입니다. 한국 독자들에게 남기고 싶은 말이 있으실까요?

A　저는 한국에 가거나 한국 독자들과 이야기할 기회가 있을 때마다 큰 감명을 받습니다. 아마도 그건 제가 정의와 공정한 사회에 대한 여러 가지 질문들에 대해 논의하고자 하는 커다란 열망과 목마름을 느끼기 때문일 것입니다. '우리가 어떻게 공존해야 하는가?' 하는 질문은 사적 연구를 위해서가 아니라 일반 대중들의 논의 차원에서도 이루어지고 있습니다. 이는 공공 철학에 대한 열망이라고 볼 수 있습니다. 누군가를 가르치는 것을 업으로 삼는 사람으로서, 민주시민의 한 사람으로서 굉장히 인상적입니다.

2012년 연세대 강연

저는 2012년 연세대 야외 광장에서 진행했던 강연, 그때의 경험을 아직도 생생하게 기억합니다. 거기에 모인 사람의 수가 많았기 때문이 아니라, 적극적으로 토론에 참여하면서도 서로를 존중하며 함께 논의하고 토론하고 고민하려는 여러분들의 태도를 보았기 때문이죠. 물론 우리가 어떻게 서로에게 연결돼 있는지에 대해서는 의견이 다를 수도 있습니다. 하지만 서로 의견이 다르더라도 이러한 논의를 통해 공동체가 나아가야 할 방향을 도출해낼 수 있을 것입니다. 좋은 삶이 무엇인지 논의하고, 걸어온 길을 돌아보는 여정이죠. 이건 저만의 여정이 아니라 모든 사람이 함께 해야 하는 일이고요. 제가 한국에 대해서 아주 긍정적으로 생각하는 부분입니다. 한동안 팬데믹으로 인해 여행이 어려워지면서 한국이 이 논의를 어떻게 진행해 나가는지 놓치기도 했지만, 이제 팬데믹이 소강상태로 접어들었으니, 다시 한국을 방문해 멋진 대화를 나눌 수 있기를 바랍니다.

Q 네, 정말 흥미로운 인터뷰였습니다. 독자들에게도 많은 도움이 되리라 생각합니다. 감사합니다.

A 감사합니다.

With.
Michael Joseph Sandel

Part 2.

마이클
샌델을

말하다

"우리는 얼마나 시민으로 살고 있는가?"
시민으로서의 삶이 당연하다고 생각할 수 있으나,
스스로에게 다시 한번 물어보자,
좋은 시민이 되기 위해
얼마의 시간과 정성을 쓰고 있는지를,

Part 1, 마이클 샌델과의 인터뷰는 어떠셨나요? 능력주의와 그로 인해 위기를 겪게 된 민주주의에 대해 이야기를 나누어 보았습니다. 마이클 샌델은 지금까지 우리 사회에 울림을 주고 있는 『정의란 무엇인가』(2010)부터 가장 최근 『당신이 모르는 민주주의』(2023)에 이르기까지 10권이 넘는 책들을 펴냈습니다. 10년이 넘는 시간 동안 마이클 샌델이 여러 권의 책을 통해 독자들에게 던지고 있는 수많은 질문은 단 하나의 문장으로 요약할 수 있습니다.

정의로운 민주주의 국가를 만들기 위해
우리는 어떤 시민이 될 것인가?

김선욱 교수는 마이클 샌델 교수가 그동안 던져온 많은 화두를 이 질문에 대한 답변의 다양한 변주로 이해합니다. 샌델 교수는 우리나라와 우리의 시대에 무언가 문제가 있다고 느낄 때마다 우리가 시민으로서 고민해야 할 내용과 가져야 할 부담이 무엇인지 제시해 왔다는 것입니다.

　　이제 Part 2에서는 다소 어렵게 느껴지던 마이클 샌델 사상의 핵심을 살펴보려 합니다. 마이클 샌델의 저술을 우리말로 번역하는 과정에 가장 깊이 관여하고 꾸준히 살펴 온 김선욱 교수님 모셨습니다.

Q　안녕하세요, 김선욱 교수님. 시간 내주셔서 고맙습니다. 저희가 하버드대학에서 마이클 샌델 교수님과 인터뷰를 하고 이를 책으로 만들기 위해 국내에서 도움 주실 분을 물었을 때 주저 없이 추천한 분이 바로 교수님이었습니다. 국내에 소개된 샌델 교수님의 책은 대부분 교수님의 손을 거쳤다고요.

A 안녕하세요. 이런 기회를 주셔서 고맙습니다. 그동안 샌델 교수님의 책을 감수하면서도 샌델의 철학 전반적인 면모를 정리해서 보여드릴 계기가 없었는데, 이번 기회에 개략적으로나마 정리해서 말씀드려 보겠습니다.

Q 두 분의 인연은 언제, 어떻게 시작된 건가요?

A 　제가 마이클 샌델에 대해 알게 된 것은 유학 시절 윤리학을 공부하면서 자유주의와 공동체주의 논쟁을 접했을 때였습니다. 그분은 이미 미국에서도 유명했지만 따로 마음을 두고 연구를 깊이 하지는 않았습니다. 오히려 저는 개인적으로 독일 태생의 정치사상가인 한나 아렌트Hannah Arendt에 깊이 매료되어 그녀의 사상에 대해 박사 논문을 썼죠. 귀국해서도 아렌트 사상을 알리고 또 그의 저서를 번역하느라 많이 바빴더랬습니다.

　학위를 마친 뒤 1999년, 귀국하고 보니 한국 학회에서 매년 아주 흥미로운 이벤트가 열리고 있었어요. 그해는 공동체주의자로 알려진 마이클 왈처Michael Walzer가 한국철학회 주최로 열리는 다산기념 철학강좌의 연사로 와서 일련의 특강을 진행한다는 소식을 들었습니다. 그런 기회는 흔하지 않았기 때문에 매번 모임에 가서 열심히 질문도 하며 참여했습니다. 그때는 미국에서 막 돌아왔던 때라 나름 영어도 되었던 때였죠. (웃음) 이 같은 모습이 그 강좌를 이끌어 가시던 교수님들께 예쁘게 보였던 모양입니다. 특강 후 식사 자리에도 함께 하자고 초청받아 왈처 교수와 직접 대화하는 기회도 가질 수 있었죠.

　이후 2002년에 역시 공동체주의자로 알려진 찰스 테일러Charles

Tayler가 같은 강좌의 연사로 초청되어 왔을 때 주최 측에서 통역과 안내를 부탁해서 도와드렸습니다. 그때를 계기로 거의 매년 통역과 안내를 맡아 도와드렸는데, 그 중에는 피터 싱어Peter Singer, 페터 슬로터다이크Peter Sloterdijk, 슬라보예 지젝Slavoj Zizek, 그리고 2005년에 마이클 샌델이 있었습니다. 그러고 보면 공동체주의자의 대표적인 철학자 가운데 왈처와 테일러, 샌델 세 분을 한국에서 만나 가까이서 깊은 대화를 나눌 수 있었던 것은 놀라운 행운이었죠. 다산기념철학강좌는 10년간 진행되고, 마이클 샌델을 마지막으로 마무리되었습니다. 저에게는 그 강좌가 가능하도록 재정 지원을 했던 명경재단 이사장 황경식 교수님과 강좌를 책임지고 운영하셨던 연세대 박정순 교수님께 늘 감사한 마음이 있습니다.

Q 그럼 샌델 교수님과의 인연은 2005년에 시작된 것이었군요.

A 그렇습니다. 그때 모두 네 차례의 특강이 있었습니다. 서울에서 두 차례, 대구와 전주에서 각각 한 차례 이루어진 특강에 줄곧 동행하면서 통역과 안내를 도왔고, 이후에 특강 내용을 담은 저서

2005년 전주 한옥마을

『공동체주의와 공공성』의 저술을 제가 책임지고 편집하고 공역했었죠. 그 후로는 가끔 공적인 일로 연락이 오간 정도였습니다.

그런데 그의 저서 『정의란 무엇인가』가 엄청나게 판매되고 유명해졌던 2010년 가을에 제가 미국 뉴욕으로 연구년을 가게 되었습니다. 샌델 교수가 하버드대학에서 강의하던 〈정의〉 수업이 궁금했던 터라 참관하겠다고 연락드리고 방문했었죠. 그 만남에서 샌델 교수가 저에게 다음에 나오게 될 책의 감수를 부탁했습니다.

기꺼운 마음으로 도와주기 시작했는데, 그 일이 현재까지 이어졌네요. 2005년에 만났을 때도 그랬지만 감수 과정에서 저는 샌델 사상에 대해 많은 친화감을 느꼈고, 한국 사회에 큰 유익이 된다고 판단하여 성심껏 도왔습니다. 또 샌델의 철학을 알릴 기회가 있으면 마다하지 않고 달려갔죠. 그러다가 2021년에는 샌델 교수와 함께 JTBC의 「차이나는 클라스」에 출연하여 두 차례 방송도 하게 되었고요.

2014년 숭실석좌강좌

Q 우연한 계기로 시작했으나 보통 인연이 아닌 것 같군요. 이제 그 자세한 이야기를 하나씩 풀어 주시길 바랍니다. 이번 인터뷰에서 샌델 교수의 사상을 어떤 방식으로 개괄해 주실 생각이신가요?

A 이번 일련의 인터뷰를 통해 저는 샌델 사상의 큰 줄기를 드러내 보이고 싶습니다. 사실 일반적인 독자들이 마이클 샌델의 도서를 전부 찾아 읽기는 쉽지 않다는 것을 저도 잘 알고 있습니다. 물론 이 인터뷰에서 10권이 넘는 저서의 내용을 전부 자세히 설명하는 것은 불가능하겠죠. 하지만 이 인터뷰를 읽으시는 독자들이 정치철학자 마이클 샌델의 사상을 관통하는 메시지를 이해하고, 이것을 시민으로서의 삶에 적용하여 함께 고민하는 기회를 가졌으면 합니다.

마이클 샌델과
정의

Q 마이클 샌델이라는 이름을 우리에게 각인시켰던 책 『정의
란 무엇인가』가 번역되어 한국에 출간된 지도 벌써 14년이 되
었습니다. 가히 열풍이라 부를 만한 뜨거운 관심이 쏟아졌었
죠. 이제까지 우리 사회에서 철학 도서가 이처럼 널리 읽히고
받아들여졌던 적이 있었던가 싶을 정도로, 정말 놀랍고 신기
했습니다. 어떻게 이런 일이 가능했던 걸까요?

『정의란 무엇인가』 열풍

A 2010년 봄에 발간된 『정의란 무엇인가』는 발간 한 달 만에 11
만 부가 판매되었고, 출간된 지 일 년이 되었을 무렵에는 100만 부

2014년 숭실석좌강좌 강연

판매를 돌파했습니다. 2014년에 출판사를 바꾸어 새로운 번역으로 다시 출간되었는데, 그 이후로 100만 부 이상이 더 팔렸다고 합니다. 이후 마이클 샌델이라는 이름은 사람들의 입에 자주 오르내렸고, 고등학교 윤리 교과서나 입시에서도 중요하게 다루어졌습니다. 이는 『정의란 무엇인가』라는 책에 대한 단순한 관심 수준을 넘어 우리 사회에 강력한 영향을 주었다는 뜻입니다. 정의와 공정이 우리 사회의 주요 화두가 되었으니 말이죠. 물론 이와 더불어 샌델 사상에 대한 오해도 많이 생겼고요.

나중에 살펴보니, 2010년 8월 말에 한국을 방문했던 샌델 교수 본인도 이런 현상에 대해 놀라고 고무되었다고 합니다. 신문 인터 뷰에서 "한국에서도 정의에 대한 배고픔과 갈증이 있는 것 같다." 고 하더군요. 또한 그는 "지난 몇십 년간 미국과 유럽, 한국 등 민 주주의 국가에서 정치가 경제성장에만 치중하여 '좋은 삶'과 '공동 선' 등 삶의 중요한 문제를 도외시했다. 그러나 풍요로워질수록 사 람들이 공허감을 느끼게 된다. 그렇기에 윤리적·도덕적 가치가 경 쟁할 수 있는 환경, 즉 의견의 불일치를 받아들일 수 있는 사회가 정의로운 사회를 구축하는 첫 단계"[2]라고도 했습니다.

샌델의 말처럼, 당시 한국 사회는 이명박 대통령이 집권한 지 3년 차로, 정의의 관점에서 볼 때 새로운 경제적 불균형이 등장하 던 때였습니다. 그 대표적인 예가 대기업과 중소기업 간의 격차가 심화되었다는 것이죠. 당시의 지표를 찾아보면 2008년부터 한국 대기업의 총매출은 해를 거듭하며 상승했지만, 중소기업의 총매출 은 그해를 기점으로 상승세가 꺾이고 내림세를 보이기 시작했습니 다. 대기업이 잘되어야 그 혜택이 중소기업을 거쳐 모든 국민에게 로 흘러간다는 이른바 낙수효과 trickle-down effect 는 수치를 통해 부 정당했습니다. 어떤 대기업 총수는 "한 명의 천재가 10만 명을 먹여 살린다."라는 말을 했지만, 이제는 그 한 명의 천재가 "나 혼자만 다 가지겠다."를 말하는 시대로 들어선 것이 아니냐는 의심이 일어나게 된 거죠.

Q 한 명의 천재가 10만 명을 먹여 살린다라, 과거에는 그렇게 생각했지만 이제는 그런 말을 곧이곧대로 믿는 사람이 있을까 싶네요.

A 그렇죠. 돌이켜 보면 승자 독식의 시대로 들어섰다는 의심은 그쯤부터 시작된 것 같습니다. 우리 사회에 '공정 사회' 화두와 논

쟁이 떠오른 것도 바로 그때부터였습니다. 사람들 사이에서 불거지는 불만, 연일 불평등에 대하여 목소리를 높이는 언론들. 여기에 위기를 느낀 이명박 정부는 같은 해 대기업과 중소기업 간 격차 해소를 위한 〈동반성장위원회〉를 만들기도 했습니다.

실제로 대기업과 중소기업 사이의 격차는 단순히 기업체 간 불균형만을 의미하지 않습니다. 이는 빈부 격차를 벌리는 한국 사회의 양극화를 보여주는 단적인 현상이죠. 한국 사회는 언제부터인가 사회의 계급화 현상을 뚜렷이 드러내고 있었습니다. 경제계의 사회적 지배력도 이전보다 증가했으며, 정치적 양극화 양상도 나타났죠. 정권이 바뀔 때마다 복지와 사회적 안전망에 대한 정책이 근본적으로 수정되었고, 경제나 대외 정책에 대해서도 정책 방향이 뒤바뀌는 모습을 보여주었습니다. 이런 가운데 이명박 대통령은 경제 대통령을 표방하면서 국정을 독선적으로 운영하는 모습을 보였습니다. 이명박 정부가 표방한 '공정 사회' 구호에 대해 영화 「친절한 금자씨」 속 명대사가 소환되기도 했죠. "너나 잘하세요."

Q '웃픈'(우습지만 슬픈) 비유네요. 제 기억엔 2010년 당시 청와대에서 이명박 대통령이 여름 휴가를 떠나며 마이클 샌델

의『정의란 무엇인가』를 들고 갔다는 이야기도 있었던 것 같은데요.

A   실제로 청와대의 홍보가 있었습니다. 『정의란 무엇인가』가 가진 아우라의 덕을 보고자 이루어진 발표였겠죠? 그러나 이 책이 오히려 이명박 정권과 당시 한국의 사회·정치적 현실에 대한 비판 의식을 강화하는 역할을 했을지도 모릅니다. 『정의란 무엇인가』는 하나의 사회적 현상이 되었고, 이 책을 읽은 시민들은 해를 거듭하며 일어나는 새로운 문제에 대해 "정의로운가?"라는 질문을 습관처럼 던지게 됐으니까요.

정의 담론 드라마

Q   "정의로운가?"를 거듭 질문한다는 건 우리가 정의와 민주주의를 희망하지만 반면 현실은 그렇지 못하다는 인식 때문이겠죠?

A   그렇죠. 불과 한 세기 전만 해도 우리는 독립을 위해 투쟁했고,

반세기 전에는 타는 목마름으로 새벽녘에 남몰래 "민주주의여 만세!"를 썼습니다. 그런데 어째서인지 지금 우리는 민주주의에 대해 '잘알못'이 되어버렸죠. 마이클 샌델은 2023년에 펴낸 『당신이 모르는 민주주의』를 통해 '우리가 모르는 민주주의'에 대해 고민하자고 제안하고 있습니다. 민주주의의 위기는 비단 우리나라만의 일이 아닙니다. 지금 이 시대를 살아가는 세계인 모두가 민주주의로 향하는 길을 놓치고 있다는 것이 마이클 샌델의 염려입니다.

2010년의 '정의' 그리고 2023년의 '민주주의'에 이르기까지, 샌델 교수는 우리 사회에 새로운 화두를 계속해서 던져왔습니다. 샌델의 이야기 중 많은 것들이 정의를 중심으로 펼쳐집니다. 정의, 가치, 시장주의, 유전자 공학, 정치와 도덕, 공동선, 중국의 민주주의, 공정, 능력주의, 민주주의 등의 키워드가 그의 저서 전반에 걸쳐 서로 연관성을 갖고 등장합니다. 이는 민주주의 주제에 다다라서 하나의 절정을 이루게 되죠. 그리고 '정의'와 '민주주의' 키워드 사이에 그가 코로나 팬데믹 시대를 맞으며 던진 '능력주의'에 관한 이야기가 있습니다. 그는 능력주의를 설명할 때 정의의 다른 이름이라고 할 수 있는 공정을 중심으로 말합니다. 핵심 질문은 이것입니다. "능력주의가 지배하는 우리 사회는 과연 공정한가?" 이처럼

2010년 '정의'에서 코로나 시기 '능력주의'를 거쳐, 마침내 2023년 '민주주의의 위기'에 이르는 장대한 드라마가 연출된 것입니다.

참고자료:
마이클 샌델
저술

2008년 『공동체주의와 공공성』(철학과 현실사)

2005년에 한국철학회 다산철학기념강좌에 초청되어 행한 4개의 강의 원문과 번역문으로 구성되었으며, 한국에서만 출간된 책이다. 내가 진행한 샌델과의 인터뷰도 수록되어 있다.

2010년 『정의란 무엇인가』(김영사)
2014년 새 번역본 『정의란 무엇인가』(와이즈베리)

영어판은 우리말 번역본과 같은 해인 2010년에 출간되었고, 원제는 『정의』다. 이 책의 판권이 2014년에 김영사에서 와이즈베리로 옮겨간 뒤에, 김영사는 우리말 번역본 제목에 대한 저작권을 주장하기도 했으나 인정되지 않았다.

2011년 『마이클 샌델의 하버드 명강의』(김영사)

샌델의 하버드대학 강의 영상 〈정의〉를 녹취 번역하여 출간한 책이다. 유사한 형태의 책이 이미 일본에서도 나왔다고 한다.

2012년 『정의의 한계』(멜론)

영어판 원제는 『자유주의와 정의의 한계』이며 초판은 1982년, 2판은 1998년에 출간되었다. 2판에는 새로운 서문이 추가되어 있다.

2012년 『돈으로 살 수 없는 것들: 무엇이 가치를 결정하는가』(와이즈베리)

영어판의 제목은 같으나 부제목은 『시장의 도덕적 한계』라고 되어 있다. 한국어판과 영어판이 동시 출간되었다.

2016년 『완벽에 대한 반론』(와이즈베리)

영어판에는 『유전자공학 시대의 윤리』라는 부제목이 붙어 있고, 2007년에 출간되었다. 2010년에 우리말 번역본 『생명의 윤리를 말하다: 유전학적으로 완벽해지려는 인간에 대한 반론』(동녘)이 나왔는데, 판권이 옮겨지면서 새로 번역되어 출간되었다.

2016년 『정치와 도덕을 말하다』(와이즈베리)

영어판 원제는 『공공철학: 정치와 도덕에 대한 논문』이며 2006년에 출간되었다. 2010년에 『왜 도덕인가?』(한국경제출판사)로 먼저 출간되었으나, 이는 원문 일부를 빼고 내용을 재편집한 것이다. 판권이 옮겨지면서 내용도 원문과 맞게 새로 번역하였다.

2018년 『마이클 샌델, 중국을 만나다』(와이즈베리)

영어판 원제는 『중국과의 만남: 마이클 샌델과 중국 철학』
이며 같은 해 출간되었다. 이 책은 마이클 샌델과 폴 담브로
시오가 공동 편집하였고, 수록된 논문의 저자는 대부분 중
국 학자들이다.

2020년 『공정하다는 착각』(와이즈베리)

영어판 원제는 『능력의 폭정: 우리는 공동선을 찾을 수 있는
가?』이며, 한국어판과 영어판이 동시 출간되었다.[3]

2023년 『당신이 모르는 민주주의』(와이즈베리)

이는 1996년에 출간된 초판본의 개정판이다. 영어판 원제
는 『민주주의의 불만』이며 2022년에 출간되었다.[4]

A 샌델의 저술은 모두 우리말로 번역되어 있어요. 이 자료의 내
용은 한국어 출판 연도에 따른 것입니다. 영어 원서의 출판 연도 기
준으로 본다면, 가장 먼저 1982년 『정의의 한계』 초판이 출간되었
고, 다음으로 1996년 『민주주의의 불만』 초판이 출간되었습니다.
이 둘은 학술성이 강한 저서인데요. 이후에 펴낸 저서는 좀 더 대중
지향적입니다. 이를 해석해 보자면, 샌델 교수는 먼저 정의의 개념
을 확고하게 제시한 뒤 이를 토대로 우리의 주요 주제들을 하나씩

꺼내 놓은 셈입니다.

Q　저서들을 순서대로 쭉 늘어놓고 살펴보니, 정의에서 민주주의로 이어지는 흐름이 아주 인상적이네요. 정의와 민주주의를 각각 어떤 관점에서 봐야 할까요?

A　정의가 개인의 관점에서 사유하는 것이라면, 민주주의는 국가와 세계의 관점으로 지평을 확장해야만 논의할 수 있습니다. 개인이 정의로운 삶을 살기 위해서는 사회가 정의로워야 하고, 정의로운 사회는 민주주의를 추구하는 시민, 즉 개인 없이 이룰 수 없습니다. 그런 점에서 마이클 샌델의 담론은 궁극적으로는 정의로 수렴됩니다.

Q　정의나 민주주의의 사전적 의미는 사실 명확하잖아요. 그러나 실제로는 이를 어떤 사람이 설명하는지, 누가 듣는지, 어떤 상황에 적용되는지 등에 따라 그 내용에 조금씩 차이가 있을 것입니다. 예를 들어 정의라는 단어를 사전에 검색하면 '사회를 구성하고 유지하는 공정한 도리'라고 나오지만, 여기에

서 공정한 도리에 대한 생각은 사람마다 다를 수 있겠죠. 이러한 이유로 지금부터 마이클 샌델의 삶에 대하여 살펴보았으면 합니다. 마이클 샌델의 생애를 따라가며 그가 어떤 사람인지 이해하고자 한다면, 마이클 샌델이 말하는 정의와 민주주의에 대해 조금 더 깊이 깨달을 수 있지 않을까요.

마이클 샌델은
누구인가

Q 마이클 샌델은 어렸을 때부터 비범한 면모를 갖추었을까요? 아니면 여느 학생들처럼 평범한 소년이었을까요? 그의 어린 시절이 궁금합니다.

고등학교 시절

A 아직 생존해 있는 분의 생을 위인전기 다루듯이 말하는 것은 적절치 않을 것입니다. (웃음) 그런데 사실 저에게는 그의 삶의 과정에 대해 관심을 가질 학문적인 이유가 있었습니다. 2005년에 샌델 교수를 처음 만났던 행사가 끝나갈 무렵 『철학과 현실』이라는 잡지를 위해 인터뷰를 길게 했던 적이 있었습니다.[5] 대화를 나눌수

록 그의 철학이 제가 연구하는 한나 아렌트 사상과 닮은 점이 많다는 생각이 들었습니다. 그래서 한나 아렌트를 아느냐, 그의 사상을 어떻게 생각하느냐는 등의 질문을 했습니다. 샌델 교수가 왜 그렇게 느꼈느냐고 묻길래 조목조목 설명했습니다. 하지만 당시 그는 제대로 설명하지 않았고, 다만 유대인 사회에서 한나 아렌트를 비판적으로 보고 있다는 점만을 언급했었죠.

그런데 2016년에 『정치와 도덕을 말하다』 감수 과정에서 한나 아렌트를 각주 없이 인용하는 것을 보았습니다. 아렌트의 사상 한 부분을 자신의 익숙한 기억에서 끄집어내었던 것 같았습니다. 그러다가 그 책에 대한 〈해제〉를 쓰는 과정 중에 우연히 접한 하버드대학의 신문 기사에서 관련 내용을 알게 되었습니다. 그리고 나중에 다른 여러 자료들도 보았고요. 이제 말씀드릴 샌델 교수에 관한 이야기는 그 기사와 다른 자료들로부터 알게 된 내용을 샌델 본인에게 확인한 것입니다. 강의실에서 가벼운 마음으로 할 이야기를 여기서 이렇게 하게 되네요.

샌델 교수는 1953년생입니다. 이름의 가운데에 있는 J는 Joseph의 약자이며 그는 유대인 가문에서 태어났습니다. 유대인 중에서 그다지 종교적이지 않은 세속화된 집안이었죠. 그래도 유대인들이 금기시하는 음식을 먹지는 않더군요. 예를 들면 달걀과 닭고기를 함께 요리한 음식 같은 것 말이죠. 그는 미국 미네소타주 미니애폴리스 근교인 홉킨스에서 어린 시절을 보냈습니다. 2012년 6월에 한국을 방문했을 때는 프로야구팀 LG 트윈스 경기에서 시구를 선보이기도 했는데요. 어린 시절 미네소타 트윈스의 팬이었기 때문이라고 하네요.

14살에 가족과 함께 로스앤젤레스로 이사하게 된 샌델은 공립학교인 팰리세이드 고등학교에 다녔습니다. 여기는 학군이 좋은 곳이라 공립이라도 정말 좋은 학교이죠. 타지에서 온 전학생이었지만 학생회장으로 선출되기도 했고, 학생 토론 동아리에서도 활발한 활동을 펼쳤어요. 이때부터 정치를 주제로 하는 토론에 관심이 많았던 걸로 보입니다. 정치적 감각도 있었던 것 같고요.

이 시절 흥미로운 에피소드 하나를 하버드대학 신문사 인터뷰에서 말했더군요. 고등학생이었던 샌델이 토론 동아리 대표 자격으로, 학교와 가까운 곳에 살고 있던 당시 캘리포니아 주지사인 로널드 레이건Ronald Reagan을 학교에 초청하고자 했던 일입니다. 그 시기 로널드 레이건은 공화당의 보수파로 떠오르는 별이었습니다. 그런데 샌델을 포함한 대부분의 토론 동아리 학생들은 진보적 의식을 가졌기 때문에 자유주의자인 레이건의 정치적 성향에 공감하는 학생이 거의 없었습니다. 그래서 레이건을 초대하겠다는 마이클 샌델의 결정은 학생들 사이에서 큰 호응과 관심을 얻었죠. 당시 논쟁적인 여러 사안에 대해 비판의 각을 세워 토론할 수 있는 좋은 기회가 될 수 있었을 테니까요.

샌델은 자신이 사는 로스앤젤레스에서 멀리 떨어진 새크라멘토에 있는 레이건의 사무실로 초청 편지를 보냈지만 아무런 응답을 받지 못했습니다. 그런데 그때 샌델의 어머니가 잡지에서 읽은 내용이라며, 레이건이 젤리빈을 좋아한다고 알려주었지요.

Q 젤리빈이라면, 알록달록하고 작은 콩처럼 생긴 군것질거리를 말씀하시는 건가요?

A 네, 바로 그 젤리빈이요. (웃음) 샌델은 젤리빈 6파운드어치를 사서 손잡이가 달린 하얀 박스에 잘 포장하고, 초청장을 들고 레이건의 집에 직접 찾아갔습니다. 이때가 1971년, 베트남전쟁에 대해 사나운 논쟁이 벌어지던 시절인데요. 당시 레이건은 베트남전쟁에 찬성하는 입장이어서, 집 주변에는 이에 반대하는 많은 사람들이 진을 치고 있었고 심지어 데모대까지 있었죠. 이런 곳에 앳된 소년이 젤리빈 박스를 들고 다가가자, 경비견과 함께 경비를 서고 있던 주 경찰이 박스를 열어 조사하고 나서야 샌델을 통과시켜주었죠. 어찌되었든 샌델은 레이건의 집 현관까지 가서 물건을 전달했습니다. 그리고 며칠 뒤 주지사 사무실에서 편지에 대한 답이 왔죠. "로널드 레이건이 학교에 직접 방문할 것입니다. 다만 시위대를 염려하여 사전에 방문 사실을 외부에 알리지 않는다는 조건입니다."라고요.

Q 대통령을 초대한 고등학생이라니 대단하네요. 물론 아직 대통령은 아니었지만요. 로널드 레이건은 정말 학교에 왔나요?

A 네, 약속을 지켰습니다. 주지사 레이건이 2천여 명의 학생들이

모인 강당에 들어서는 순간을 상상해 보세요. 언론과 사람을 피하려고 정문이 아니라 후문으로 들어와 강당에 등장했죠. 학생들은 환호하며 박수를 보냈고요. 당시의 상황을 샌델 교수에게 직접 물었는데, 그는 이 부분을 약간 들뜬 모습으로 묘사했습니다. (웃음) 그때 주지사를 상대로 토론 실력을 마음껏 발휘할 수 있겠다는 생각에 약간 흥분했다고 하더군요. 샌델은 자신의 토론 실력을 믿었고, 논리적으로 보수적인 레이건의 견해를 이길 자신도 있었기 때문에 가장 도발적인 질문들만 골라 토론을 준비했다고 했습니다. 베트남전쟁, UN에 대한 견해 차이, 사회보장제도, 투표권 연령을 18세로 낮추는 문제…, 모두 주지사인 레이건을 강하게 비판할 수 있는 주제들이었죠.

　샌델은 준비한 주제를 하나씩 제시했습니다. 레이건은 아주 정중한 자세와 부드러운 유머를 곁들여 하나하나 논리적으로 답했죠. 샌델이 한 시간 반쯤 질문을 이어 간 후로는 참가한 다른 학생들도 질문을 했는데, 이때도 레이건은 한결같은 태도로 답변을 이어갔습니다. 학생들은 레이건의 견해에 거의 공감할 수 없었지만, 그런데도 레이건은 모든 질문에 대해 놀라우리만큼 붙임성 있고 친절한 태도로 임했죠. 정해진 토론 시간이 끝나고, 샌델은 학생들을 대

고등학교 시절
레이건과 토론하는 샌델

표하여 감사 인사를 건넸습니다. 레이건은 초청에 감사하다는 응답을 한 뒤 박수를 받으며 강당 뒷문으로 사라졌죠. 샌델은 훗날 그 상황을 회고하며 말했습니다.

> 우리 가운데 누구도, 아니 적어도 저 자신은 그때 무슨 일이 일어났는지 확실히 알 수 없었어요. 한편으로 로널드 레이건은 토론에서 제기한 그 어떤 문제에 대해서도 우리를 설득하지 못했죠. 그렇지만 그가 우리를 아주 진지하게 대했기 때문에-아니 그렇게 보였을 뿐일 수도 있었겠지만-어쨌든 존중심과 훌륭한 유머를 겸비하고 우리의 질문에 대답했기 때문에, 강당에 있던 거의 모두가 그만 그의 매력에 흠뻑 빠져버린 것이죠. 사실 우리는 모두 스스로 아주 엄격하고, 수준 높고, 정치적으로도 명석한 고등학생들이라고 생각했지만, 글쎄 그만 이런 일이 일어나버렸던 것이지요.[5]

Q 와, 대단하네요. 정치가들의 토론이란 이래야 하는 게 아닐까요? 멋진 모습, 멋진 상황이네요.

A 레이건을 향해 쏟아졌을 고등학생들의 질문은 아마 그가 주지사로서 평소에 접하기 어려운 날것의 느낌이었겠죠. 그러나 레이건은 자신을 비판하는 질문을 던지는 고등학생들에게 화를 내거나 어리다고 무시하지 않았습니다. 그는 진지하면서도 재치 있는 태도로 논리적인 답변을 했습니다. 학생들이 비록 레이건의 논리에 설득당하지는 않았지만, 결국 사람 자체에 대해 감동한 것입니다. 샌델은 이날의 일을 회고하며, 그로부터 9년 뒤 레이건이 대통령이 될 수 있었던 능력은 바로 여기에 있던 것 같다고 말합니다. 샌델 교수를 만나 이 이야기를 확인했을 때 자신의 이 시절에 대해 무척 대견해한다고 느꼈습니다. (웃음)

이 이야기에는 중요한 메시지가 있습니다. 정치적으로 의견이 다른 사람들에게 감동을 주는 것은 논리가 아닙니다. 샌델은 정치적 견해가 다름에도 진지한 태도나 유머라는 요소가 레이건을 우호적으로 바라보게 만든 계기가 되었음을 말했죠. 정치적 대화에서 논리는 중요하지만, 그것은 한 부분에 지나지 않습니다. 샌델은 2005년에 저와 했던 인터뷰에서 다음과 같이 말했습니다. 인터뷰의 한 부분을 인용하겠습니다.

김선욱 수사학적 기법을 강조하는 것이 무척 인상적입니다. 수사학은 정치선전과 더불어 조작의 기법으로 생각되기도 하는데요. 선생님이 강조하는 부분은 이와는 다른 것으로 보입니다.

마이클 샌델 네, 다릅니다. 우리에게 중요한 것은 이론 theory 이 아니라 이야기하기 story-telling 입니다. 인간은 이야기하는 존재입니다. 따라서 도덕적, 정치적인 차원과 이성적 반성을 분리해서 생각해서는 안 됩니다. 물론 논증 argument 과 원리들 principles 도 중요합니다. 그러나 이것으로 충분하지는 않습니다. 다른 중요한 차원을 설명하는 것이 바로 내러티브 narrative 입니다. 우리는 정치적 토론과 담론에서 이 두 요소가 모두 필요하다는 것을 알아야 합니다. 우리는 정치적 문제에 있어서 추상적 권리를 호소하는 것만으로는 불충분합니다. 정치적 설득을 함께 추구해야 합니다. 각자가 처한 정치적 조건을 이해할 수 있고 또 특정한 행위가 왜 필요한지를 설명할 수 있어야 하는데 이를 위해 이야기가 필요합니다.

김선욱　일반적으로 수사학은 어떤 도구나 수단으로 이해되지 않습니까?

마이클 샌델　흔히 정치적 수사가 단순한 도구에 불과하다고 생각하지만, 이야기하기란 단순히 도구적인 것은 아닙니다. 오히려 그것은 진정한 정치적 논증true political argument 이라고 할 수 있습니다. 저는 강한 개념의 정치적 수사에 대해 말하고 있습니다. 인간은 자기를 해석하는 존재라는 관점에서 볼 때 그렇습니다. 정치적 수사법은 사람의 현실을 공감적으로 이해 verstehen 하게 합니다. 이를 위해서는 화자 자신의 현실적 자기 이해가 요구됩니다. 사람을 설득하는 과정에서 정치 상황에 대한 보다 완전하고 더욱 진실한 이해에 도달하게 됩니다. 여기서 목표로 하는 것은 진리이지 감성 조작이 아닙니다. 도구적 정치 설득술의 조작 행위의 목표는 감성 조작입니다. 이것은 진리 추구 방식이 갖고 있는 원리 선포 방식과는 다른 것입니다.[7]

대학과 대학원 시절

Q   마이클 샌델은 브랜다이스대학에서 정치학을 전공했다고 알고 있습니다. 대학 시절의 샌델은 정치에 꿈이 있었을까요?

A   글쎄요, 그건 잘 모르겠습니다. 언젠가 질문했던 것 같은데, 아마도 자신은 정치가 적성에 맞지 않는 걸로 판단했다고 대답했던 것 같아요. 당시 샌델의 전공은 정치학이었고, 인문학과 경제학에 관심이 많았다고 합니다. 정치 제도, 역사, 경제, 인문학 영역 중심으로 책을 읽었고, 대학 졸업 논문은 미국 정당의 쇠퇴에 관한 연구였죠. 샌델은 대학 방송부에서 보도부장을 맡았는데, 당시에 받은 기자증으로 민주당 대통령 후보 지명을 위한 전당 대회를 참관하기도 했습니다. 이때 잠시 언론 기자를 해 볼 생각을 가졌으나, 대학원 시절 뉴욕시에 있는 언론사 〈더 타임즈〉에서 인턴 생활을 하면서 흥미를 잃어버리고 맙니다. 그때 샌델은 데스크에 앉아 주어진 정보를 바탕으로 기사 초고를 썼는데, 그 초고가 분업화되고 전문화된 방식으로 편집되는 것을 보며 기자 생활에 흥미를 잃었다고 하더군요.

졸업 즈음 진로를 고민하던 샌델은 로즈 Rhodes 장학금 수혜자로 결정되어 옥스퍼드대학원에 입학하게 되었습니다. 대학원 진학 후에는 정치 실천의 토대인 정치철학 공부가 필요하다고 생각하여 철학 고전을 집중적으로 읽었다고 합니다. 그러다가 그만 정치철학과 사랑에 빠져버렸다고 하더군요. (웃음) 대학원 첫 학기가 끝나고 6주간의 방학을 맞아 샌델은 친구들과 함께 스페인 남부로 독서 여행을 떠났습니다. 이때 샌델은 임마누엘 칸트Immanuel Kant의 『순수이성비판』, 존 롤스John Rawls의 『정의론』, 로버트 노직Robert Nozick의 『아나키, 국가 그리고 유토피아』, 그리고 한나 아렌트의 『인간의 조건』, 이렇게 네 권의 책을 가져갔습니다. 그리고 친구와 함께 쓰기로 한 경제 논문 준비 시간을 제외하고는 온통 독서에 몰입했다더군요.[8]

Q 스페인에 갔을 때 한나 아렌트의 책을 가지고 갔었네요.

A 바로 그거죠. 이게 제가 샌델의 공부 과정에 관심을 가졌던 학문적 이유였습니다. 저는 신문 기사에서 이 부분을 읽고 무릎을 탁 쳤습니다. "그렇지, 샌델은 아렌트 책을 깊이 읽었어. 아렌트 사상의 영향을 분명히 받은 거야. 그것도 크게…"라고 저는 생각했죠. 2018년 2월에 아렌트에 관한 자료를 찾으러 하버드대학의 도서관을 찾아간 적이 있었는데, 그때 샌델 교수께서 집으로 초대해 주어 식사를 함께 할 기회가 있었습니다. 저와 아내를 위해 스시와 닭요리를 준비해 주었는데, 샌델 교수는 음식을 나르고 빈 접시를 치우느라 부엌을 왔다 갔다 했고, 부인은 상석에 앉아 대화를 이끌어갔었습니다.

그때 제가 부인 키쿠 아다토 샌델에게 2005년의 인터뷰를 언급하면서 샌델 교수가 아렌트에 대한 자신의 생각을 명확하게 말해 주지 않았다고 말했습니다. "이제 샌델 교수님이 아렌트를 잘 안다는 사실을 저도 알게 되었습니다."라고 말이죠. 그랬더니 부인께서 깜짝 놀라며 샌델 교수를 보고 "왜 숨겼어? 진짜야?" 하고 묻더군요. 그러면서 "마이클과 아들 애덤, 그리고 제가 제일 좋아하는 사상가가 한나 아렌트이고, 우리가 제일 좋아하는 책은 『인간의 조건』 이에요."라고 하더군요. 정말 놀랍고 반가웠습니다.

Q (웃음) 샌델 교수님과의 내적 친밀감이 확 높아지는 계기 가 되었겠어요.

A 맞습니다. 궁금했던 문제, 얽힌 실타래가 확 풀리는 느낌이었 습니다. 샌델과 아렌트 철학의 유사점을 계속해서 발견했던 터였 으니까요. 물론 두 사람의 관점과 이론의 차이도 명확합니다.

다시 원래의 이야기로 돌아가 보죠. 샌델은 경제학의 엄밀성에 많은 매력을 느꼈습니다. 하지만 자신이 관심을 가지게 된 정의, 권 리, 평등, 공동선 등과 같은 규범적 문제들은 경제학을 통해 해결할 수 없다고 여겨 경제학 공부를 뒤로 미루기로 했습니다. 대신 칸트 와 존 롤스로부터 유래된 자유주의 정치철학에 대한 비판적 분석에 몰두하게 되었죠. 결국 샌델은 박사학위 논문에서도 자유주의 정치 철학 비판을 주제로 삼게 되는데요. 흥미롭게도 박사학위 논문을 마무리하는 단계에서 찰스 테일러에게 큰 도움을 받았습니다. 당 시 옥스퍼드대학에는 박사학위 논문을 위해 외부 전문가를 초청하여 검토를 받는 제도가 있었거든요. 찰스 테일러는 이 제도에 따라 초청받아 왔다가 샌델의 논문에 흥미를 느껴서 철저하게 읽고 검토해 줬습니다. 원래 한 달로 정해진 기간을 사비를 사용해 두 달로 연장해가며 옥스퍼드에 머무를 정도였죠. 이때의 인연으로 샌델은 테일러를 스승으로 여기게 됐으며, 이후 두 사람은 친구처럼 함께 활동해 왔습니다. 자세히 들여다보면 샌델이 테일러의 언어철학에 많이 의존하고 있음을 알 수 있습니다.

샌델은 1980년, 그러니까 옥스퍼드에서 박사학위를 채 끝내기도 전인 27세에 하버드대학 교수로 채용되었습니다. 논문의 내용을 이미 완성하고 리뷰를 진행하던 시점이라 가능했던 일이죠. 학위를 마치지 않은 학생이 교수로 채용되는 것은 당시로서 아주 드문 일이었습니다. 그때 정치학과에는 주디스 슈클라Judith Shklar, 마이클 왈처, 하비 맨스필드Harvey Mansfield가 있었습니다. 이들 가운데 주디스 슈클라는 당시 철학과 교수였던 존 롤스의 친구였습니다. 그래서 샌델의 연구물을 존 롤스에게 전해주기도 했죠. 샌델은 그때 교수 생활을 시작해서 현재까지 40년 넘게 교수직을 이어 오고 있습니다. 지금은 정치학과에서 전공 강의를 가르치면서도 학부 대학university college에서 교양 강의를 통해 학생들을 만나고 있습니다.

강의 <정의>와 소크라테스적 대화

Q   샌델 교수는 질의응답 방식으로 강의를 진행하는 것으로 유명하잖아요. 일반적인 강의와 어떤 부분이 다른지 궁금합니다.

A   그가 대학원 세미나를 어떻게 진행하는지는 모르겠습니다. 그러나 샌델 교수의 유명한 〈정의〉 강의를 보면, 그의 방식이 소크라테스가 활용한 문답법과 매우 유사하다고 느끼게 됩니다. 소크라테스는 자신이 초월적인 지식을 알지 못하며, 모두에게 적용될 수 있는 보편적 정답을 알지 못한다고 분명히 말했습니다. "나는 내가 모른다는 것을 안다"는 말이 이 뜻입니다. 그래서 소크라테스는 대화 상대에게 자신의 지식 전달을 시도하지 않았죠. 대신 중요한 문제에 대해 질문하고 답하는 가운데 상대가 스스로 생각하고 개인적인 깨달음을 얻도록 만듭니다. 그래서 회의주의나 상대주의에 빠져 있지는 않죠. 이런 방식을 소크라테스적 대화라고 부릅니다. 만일 강의실에서 소크라테스적 대화 방법을 활용한다면 어떨까요? 질문자는 질문과 응답을 통해 학생이 스스로 무지를 깨우치고 대답을

고민하게 만드는 방식으로 강의할 것입니다. 물론 덧셈이나 뺄셈
처럼 답이 있는 경우에는 답을 찾아야 하겠지만, 도덕적 딜레마처
럼 정답이 존재할 수 없는 문제, 정치철학적 주제처럼 의견이 중요
한 문제는 독립적으로 생각하는 것이 중요하니까요. 샌델은 바로
이 방법을 활용하는 거죠.

Q 사실 마이클 샌델은 『정의란 무엇인가』 출간 이전에도 이
미 대학가에서 명강의로 잘 알려진 인물이었잖아요. EBS에서
하버드대학 강의 〈정의〉가 방영되기도 했고, 샌델의 강의법도

여러 차례 소개되었고요. 교수님께서도 샌델의 강의를 들어본 경험이 있으신가요?

A   네, 앞에서 말했던 것처럼 연구년이었던 2010년 10월 말, 샌델 교수의 강의를 참관할 기회가 있었습니다. 샌델은 가을학기마다 하버드 학생 전체를 대상으로 〈정의〉 강의를 진행하는데요. 무려 2천 명을 수용할 수 있는 원형 홀인 샌더스 강당sanders theater에서 열렸습니다. 강의는 11시에 시작이었지만, 그전부터 샌델을 기다리는 학생들이 가득했습니다. 강의실 앞쪽에는 실시간 녹화를 위한 카메라도 있었죠. 나중에 샌델 교수에게 물어보니, 매시간 녹화해서 강의 영상을 업데이트한다고 하더군요. 시계가 11시를 가리키면, 샌델 교수의 조교가 나와 몇 가지 공지사항을 전하고 본격적인 강의를 시작하는데요. 그때 조교가 했던 말이 아직도 기억납니다. 공지사항을 전한 뒤 갑자기 큰 목소리로 "이 시대의 위대한 철학자, 마이클 샌델 교수님이 나오십니다!"라고 말했던 것이죠. 학생들은 폭소를 터뜨렸어요. 조교의 이 선언이 강의실에 모인 학생들을 집중하게 만드는 아이스 브레이킹이 된 셈이었죠.

샌델은 학생들에게 미리 독서 과제로 주었던 책의 몇 구절을 이용하여 자신의 생각을 설명한 뒤, 사례를 던지고 토론을 유도했습니다. 샌델 교수가 질문을 던지자 1층, 2층 할 것 없이 많은 학생들이 손을 번쩍 들었습니다. 각 층 복도마다 마이크를 들고 대기하던 강의 도우미들이 있었는데요. 샌델이 1층에 있는 한 학생을 지목하자, 가장 가까이에 있던 강의 도우미가 뛰어가 마이크를 건넸습니다. 마이크를 잡은 학생은 자신의 이름을 밝히고 의견을 말했죠. 학생의 대답을 들은 샌델은 그에게 잠시 서 있으라고 한 뒤, 다른 의견을 가진 사람이 있다면 손을 들라고 했습니다. 이런 식으로 몇 명의 학생에게서 의견을 듣고 나면, 샌델은 맨 처음의 학생부터 반론에 대한 생각을 다시 말하게 했죠.

마이크를 건네받은 학생들은 너 나 할 것 없이 할 말을 충분히 다 마칠 때까지 마이크를 돌려주지 않았습니다. 이미 발언했던 학생에게 다시 질문할 때면, 샌델은 일일이 그들의 이름을 불러 주었는데요. 그 이름들을 어떻게 다 기억하는지 놀랍더군요. 강의가 끝난 뒤에도 몇몇 학생들은 앞으로 나와 샌델 교수에게 질문했고, 그들의 질문까지 해결해주고 나서야 강의는 완전히 끝났습니다. 강의가 끝나고도 한참을 기다린 뒤에야 저는 샌델 교수와 이야기를 나눌 수 있었죠.

샌델의 강의는 2005년에 비디오로 공개되었으며, 이 강의 내용은 그날 처음으로 감수를 부탁받았던 저의 첫 감수작 『마이클 샌델의 하버드 명강의』로 출간되었습니다. 이 책을 통해 우리는 강의 중 샌델과 학생들이 실제로 나누었던 대화나 상황을 생생한 구어체로 읽을 수 있죠. 샌델은 첫 번째 강의를 마무리하며 이렇게 말합니다. "이 강의의 목적은 이성을 일깨워 방황하게 만들고 그것이 어디로 이끌고 가는지를 살펴보는 것입니다." 그리고 마지막 강의에서는 이렇게 말하죠. "이 강의의 목적은 이성의 불안을 일깨워서 이성이 이끄는 것으로 따라가 보는 것입니다." 그리고 "적어도 그 목적을 달성했다면, 그리고 이성의 불안이 앞으로도 여러분을 끊임없이 괴롭힌다면, 우리가 함께 이루어낸 성과는 결코 작다고 할 수 없을 것입니다."[8]라고요.

Q   샌델의 강의가 소크라테스적 대화를 도입했다고 하지만, 그의 방식은 소크라테스와 또 다른 지점이 있겠죠. 구체적으로 어떤 부분에서 차이가 있을까요?

A   샌델의 대화는 철학적이지만 설득을 지향하는 수사rhetoric도

개입되어 있습니다. 이런 점에서 샌델이 소크라테스보다는 더 정치적이라고 할 수 있죠. 설득과 수사학과는 구별되는 철학적 대화나 연설을 '변증술'이라고 부릅니다. 그렇다면 변증술과 수사학의 차이는 무엇일까요? 변증술은 두 명 사이의 대화로만 가능하지만, 수사학은 둘을 넘어서 다수를 향해서도 작용한다는 점입니다. 한나 아렌트는 소크라테스가 법정에 재판관으로 모인 시민들에게 변증술로 연설한 것은 실수였으며, 이 같은 실수 때문에 소크라테스가 시민들을 설득할 수 없었다고 분석합니다.[10] 이런 점에서 샌델은 소크라테스보다 더 영리하게 연설형 강의에 임했다고 할 수 있습니다.

조금 다른 이야기인데, 샌델이 추천한 동화책 『바바얀과 마법의 별』에 대해 들어본 적 있으신가요? 2020년, 부인인 키쿠 아다토 샌델 교수가 쓴 동화책인데요. 우리말로도 번역되어 나왔습니다. 『바바얀과 마법의 별』은 키쿠 샌델이 두 아들이 어렸을 때 들려주었던 창작 동화이자 괴물 바바얀이 친구들과 함께 모험하면서 성장해가는 성장 동화입니다. 보조 책자로 『가이드북』이 함께 제공되는데, 동화 내용에 대해 아이들과 함께 질문과 토론을 할 수 있도록 안내하고 있습니다. 샌델 부부가 함께 만든 이

『가이드북』에서 샌델은 다음과 같이 안내하고 있습니다.

> 저는 하버드대학에서, 또 세계 곳곳을 다니며 '정의란 무엇인가'라는 강의를
> 해 왔습니다. 그런데 역시 이런 공부는 어린 시절부터 시작해야 한다고 생각
> 합니다. 어린이들도 소크라테스의 방법에 따라 대화할 수 있으며, 윤리적
> 추론과 비판적 사고에 참여할 수 있는 능력을 갖추고 있습니다. 아이들 스스
> 로 이야기를 만들어 나누는 것이 시작을 위한 최고의 방법입니다! (중략) 저
> 는 교사와 가족이 바바얀 이야기를 이용하여 어린이들의 도덕적, 예술적 상
> 상력에 불을 지필 수 있게 되기를 진심으로 바랍니다. 한국의 아이들이 정의
> 로운 생각을 가진 멋진 시민으로 성장할 수 있기를 기대합니다.[11]

  샌델은 『바바얀과 마법의 별』 동화책을 통해 아이들이 민주시민
이 되기를 바란다고 말하지만, 이 책에는 민주주의나 정치와 관련
된 이야기는 한마디도 나오지 않습니다. 동화책도 그저 평범한 동화
에 불과합니다. 그런데 『가이드북』을 펼쳐보면 이야기가 달라지죠.
『가이드북』은 동화를 바탕으로 많은 질문을 할 수 있도록 안내하고
있습니다. 예를 들어 "샤이마 바이마 섬에 대해 묘사하고 그림으로
그려보세요. 샤이마 바이마 섬과 같은 곳에 살면 좋을까요?"라는
단순한 질문이 있는가 하면, "바바얀이 무서운 괴물이었을 때는 늘
포식자였어요. 하지만 쿠라 새들의 공격을 받은 뒤, 바바얀은 포식

자와 먹이의 관계에 대해 무엇을 배웠을까요?"와 같은 질문도 사례로 제시합니다. 물론 모범 답안 같은 것은 없습니다. 부모와 아이가 함께, 혹은 아이들끼리 서로 이야기를 나누도록 안내할 뿐이죠.

Q 아이들이 자연스럽게 질문하고 대답할 수 있도록 길라잡이를 제시하고 있군요.

A 그렇습니다. 질문하고 대답을 서로 나누는 것, 이것이 민주시민을 교육하는 기초가 됩니다. 도덕적 사유도 이런 방식의 대화를 통해 나올 수 있습니다. 중요한 것은 어린 시절부터 이러한 대화를 경험하는 것입니다. 민주시민이 되는 데는 민주주의가 무엇인지, 정의가 무엇인지 잘 배우는 것도 중요하지만, 어린 청소년에게는 이것이 방법은 아니겠죠. 일상의 삶에서 부딪히는 수많은 문제에 대해 서로 존중하는 가운데 의견을 나누고 대화하는 연습이 필요한 것입니다. 샌델은 이런 식의 대화를 이른 시기부터 경험할 수 있기를 바라며, 대학에서도 마찬가지의 방식으로 학생들이 독립적 사유를 할 수 있도록 훈련하고 있습니다. 저는 〈정의〉 강의가 바로 이러한 교육의 과정이라고 봅니다.

정의:
『정의란 무엇인가』

Q 『정의란 무엇인가』가 등장한 이후 우리는 많은 문제에 대해 "그것은 과연 정의로운가?"라는 질문을 던지게 되었습니다. 정의라는 화두가 우리 생각의 중심에 자리 잡은 거죠. 그런데 유감스럽게도 이 책을 읽은 많은 사람들이 "그래서 도대체 정의가 뭔데?"라는 푸념 섞인 질문을 하기도 합니다. 뭔가가 확실히 잡히지 않는 느낌을 갖게 되기 때문이죠. 왜 그럴까요?

오해

A (웃음) 그것은 샌델의 『정의란 무엇인가』가 "정의란 바로 이것이다!"라는 대답을 위한 책이 아니기 때문입니다. 책의 제목은

우리에게 무언가 잘못된 기대를 하게 만듭니다. 『정의란 무엇인가』
의 원제목은 『정의: 올바른 행위란 무엇인가 Justice: What is the Right
Thing to Do』입니다. 원제목의 경우 이 책이 정의 자체에 관한 것이기
보다는, 우리가 행해야 할 올바른 행위가 어떤 것인지 고민하는 내
용임을 분명히 하고 있습니다. 정의로운 판단과 행위에 대해 올바
르게 고민할 수 있도록 다양한 생각의 기준점들을 보여주는 것이죠.
다시 말해 이 책은 우리가 어디에서도 적용할 수 있는 간단명료한
정의의 기준을 제시하려는 책이 아니라는 것입니다.

샌델에 앞서 정의의 기준을 제시한 학자가 있습니다. 존 롤스라는 인물인데요. 그의 가장 유명한 저서는 바로 『정의론A Theory of Justice』입니다. 존 롤스는 정의의 기준은 모든 상황에 적용되는 보편적 원리여야 한다고 생각했습니다. 그래서 모든 구체적인 상황에서 벗어나 자유롭게 생각할 수 있는 인간을 상상하고, 그런 상상을 기초로 정의의 원칙들을 고안했습니다. 존 롤스의 '무지의 베일'이라는 가설은 바로 이런 맥락에서 나오게 됩니다.

무지의 베일은 모두에게 보편적으로 적용 가능한 정의의 기준을 발견하기 위해 존 롤스가 창안한 가설적 장치입니다. 먼저 우리가 나 자신을 포함한 모두에게 적용될 기준을 정하려 한다고 가정해 보겠습니다. 현실에서는 내가 남자이거나 여자임에 따라, 혹은 어떠한 사회적 지위에 있는지에 따라 무엇이 나에게 유리하고 불리한지 알 수 있습니다. 그런데 정의의 기준을 세우기 위해서는 그러한 유불리에 휘둘리지 않아야 하겠죠. 따라서 각자 처한 구체적 입장이나 상황을 기억하지 못한 상태가 되어야 한다고 가정하는 것입니다. 모든 사람이 이런 '무지의 장막'에 들어서면 오직 합리적으로 생각하여 모두에게 타당하게 적용할 수 있는 기준을 정할 수 있다는 가설입니다.

Q　샌델은 롤스의 이 가설에 대해 어떻게 생각했나요?

A　샌델은 존 롤스의 문제의식에 공감하고, 많은 부분에 있어 그에게 동의합니다. 그러나 정의의 기준이 그런 식으로 명료하게 제시될 수는 없다고 생각했죠. 특히 무지의 장막 가설에 대해서는 비판적이에요. 무지의 장막에 들어선다고 해서 개인이 저마다 가진 자신에 대한 이해, 즉 이미 형성된 정체성이 사라질 수는 없다고 봅니다. 이 부분은 샌델이 찰스 테일러의 언어철학에 빚진 부분입니다. 인간은 어려서부터 특정한 언어 공동체에서 성장하게 되는데요, 그 과정에서 인간은 언어에 이미 녹아 있는 공동체가 공유하는 가치 및 인간관을 함께 장착하게 됩니다. 우리에게는 완전히 벗어날 수 없는 인간의 자기 이해 부분이 존재한다는 점을 인정해야 한다는 것이죠.

Q　샌델과 롤스는 인간에 대한 근본적인 이해를 달리하고 있다고 봐야 하겠네요.

A　그렇습니다. 샌델은 자신의 인간에 대한 이해가 롤스의 것보

다 더 타당하다고 주장합니다. 이를 기초로 샌델은 롤스가 말한 것처럼 모든 상황에 두루 적용 가능한 정의에 대한 보편적 기준을 제시하는 것은 불가능하다고 생각합니다. 물론 롤스가 말한 정의의 기준이 중요하고 도움이 되기는 하지만, 그것만으로 모든 문제가 해결되지는 않는다는 것이죠. 구체적인 상황에 들어가면 적용해야 할 기준이 다양하게 요구되고 또 판단력 자체도 중요합니다. 샌델은 종종 '판단적 judgmental'이라는 말을 사용하는데, 판단력을 갖추고 훈련하는 것이 정의의 기준을 아는 것 이상으로 중요하다고 보았습니다.

정의의 기준은 모든 상황에 적용되는 보편적인 원리여야 해.

정의의 기준만으로 모든 문제가 해결되지는 않아. 상황에 따른 판단력이 필요해.

따라서 우리말 번역본의 제목 『정의란 무엇인가』를 두고 이 책은 우리가 처한 윤리적 상황에서 무엇이 정의로운 길인지 따져 물으라는 의미로 이해해야 할 것입니다. 샌델은 이 책을 통해 다양한 실제와 가설적 사례를 제시하면서 무엇이 정의로운 길인지 끊임없이 고민하게 합니다. 구체적인 상황에서 정의를 물어본다면, 구체적인 판단과 행위를 제안하며 대답해야 합니다. 그러나 추상적인 질문으로서 정의에 관해 물어본다면 어떨까요? 추상적 규정이나 기준으로 정의(正義)에 대한 정의(定義)를 제시하게 되겠죠. 여기서 추상적 정의는 '보편적으로' 적용 가능한 기준이 되는데, 이것을 추구하는 것이 바로 존 롤스와 같은 자유주의자들의 작업 성격입니다. 그리고 샌델은 이런 방법으로는 정의에 대해 충분히 올바르게 접근할 수 없다고 비판하고 있는 것이죠.

Q   충분히 올바르게 접근할 수 없다는 말은 그게 불필요하다는 말은 아니군요.

A   물론입니다. 샌델은 보편적으로 설정된 행위의 기준들을 실제로 중요하게 여깁니다. 다만 그런 기준들, 윤리적 원칙들을 상황에

따라 적절하게 선택해서 적용해야 한다고 말하고 있고, 그런 점에서 상황을 충실하게 들여다보고 분석할 것을 요청합니다. 또 같은 상황에 대해서도 사람에 따라 선택하는 원칙이 다르다는 것도 토론 과정을 통해 보여주죠. 다양성, 다원적 삶의 방식을 인정하면서도 함께 윤리적으로 또 가치 있게 살아가려면 어떻게 해야 하는지를 함께 고민하게 만드는 것입니다.

정의 담론의 구조

Q 『정의란 무엇인가』는 2004년에 발생한 허리케인 찰리와 관련된 사례로 시작합니다. 당시 허리케인 찰리로 많은 인명 피해와 재산 손실이 있었죠. 이 사례를 통해 샌델이 말하고자 한 것은 무엇이었을까요?

A 허리케인 찰리로 미국의 일부 지역이 초토화된 것은 한국에서도 큰 화제가 되었죠. 샌델 교수가 방한한 2005년에 있었던 기자 회견에서 언론사 기자들이 이 점에 대해 많은 관심을 갖고 질문을 하였지요. 책의 내용은 그때 샌델 교수가 했던 대답보다 한층 심화

되어 정리되어 있습니다.

샌델은 허리케인 찰리가 지나가고 나타난 가격 폭리 논쟁에 주목합니다. 당시 2달러였던 얼음 한 봉지가 10달러에, 250달러였던 발전기가 2천 달러에 판매되는 일이 벌어졌거든요. 이에 플로리다주 정부는 과거 제정했던 '가격폭리방지법'을 시행하려 했습니다. 문자 그대로 가격이 폭등하여 부당해 보이는 이익을 실현하는 상황을 막으려고 한 것이죠. 그런데 자유 시장 경제의 원칙에 따르면 이 법은 잘못된 것처럼 보입니다. 가격은 오직 수요와 공급이 작용하는 시장에 맡겨야 하니까요. 하지만 플로리다주 정부는 허리케인이라는 특수 상황은 시장 내 자유로운 교환의 결과로 형성된 것이 아니므로 시장 원리와 무관하게 해당 법을 시행해야 한다고 주장했습니다.

가격폭리방지법 시행에 대한 논란은 정의의 문제가 개인 간 문제일 뿐 아니라 법의 역할과 사회 조직 문제까지도 연결되어 있음을 나타냅니다. 무엇이 옳은가를 다루는 정의의 문제가 개인을 넘어 사회적 문제가 된다는 것이죠. 샌델은 이 사례를 분석하면서 복지welfare, 자유freedom, 미덕virtue이라는 세 가지 관점이 깊이 개입되어 있음을 보여줍니다. 모든 정의의 문제는 이 세 가지를 중심으로 한 접근법 사이의 논쟁이라는 것입니다. 이것을 책에서 직접 인용해 보겠습니다.

> 첫 번째 방식은 정의란 공리나 복지의 근대화, 즉 최대 다수의 최대 행복을 추구하는 것이라고 말한다. 두 번째 방식은 정의란 선택의 자유를 존중하는 것이라고 말한다. 그 선택은 자유 시장에서 사람들이 실제로 행하는 선택(자유지상주의의 견해)일 수도 있고, 사람들이 원초적으로 평등한 위치에 있을 경우 '하게 될' 가상의 선택(자유주의적 평등주의의 견해)일 수도 있다. 세 번째 방식은 정의란 미덕을 키우고 공동선을 고찰하는 것이라고 말한다.[12]

Q 세 가지 관점에 대해 각각 다른 입장을 가진 학자의 주장이 있겠군요?

A '복지'는 벤담과 밀의 현대 자본주의가 대표하는 공리주의, '자유'는 칸트의 자유주의와 존 롤스의 자유주의적 평등주의와 노직의 자유지상주의, '미덕'은 아리스토텔레스의 윤리설과 정치학, 그리고 매킨타이어 등의 윤리 이론 등을 언급할 수 있겠습니다. 그리고 『정의란 무엇인가』는 이 세 가지 범주의 이론들 및 그의 다양한 변용을 다루며 전개됩니다.

공리주의 비판

A   공리주의 대표자로는 제러미 벤담 J. Bentham과 존 스튜어트 밀 J. S. Mill이 있습니다. 두 사람은 각각 양적 공리주의자와 질적 공리주의자로 알려져 있죠. 벤담은 법률가이자 개혁가였습니다. 그는 영국 사회가 불문법의 전통이 가져온 종래의 진부한 관행과 자의적 판단이라는 잘못에서 벗어나길 바랐죠. 법적 판단이 더욱 합리적으로 개선되기를 원했으며, 나아가 재판과 더불어 도덕 이론도 합리적 체계를 갖추길 바랐습니다. 이성이나 양심 혹은 궁극적 목적 등에 대해 옳고 그름을 가려낼 때, 자의적으로 접근하는 것이 아니라 우리의 현실 경험에 기초해 형성된 합리적 원칙에 따르기를 원한 것인데요. 그래서 벤담은 '최대 다수의 최대 행복'이라는 공리주의의 원칙에 따라 개인과 사회 전체의 행복을 증진하고 불쾌와 고통을 회피하도록 하는 법률과 정책의 원리를 깊이 탐구했습니다.

벤담이 공리주의 원칙을 정식화하고 이론적으로 발전시키기 이전에도 공리주의는 우리의 일상생활에서 실제로 널리 활용되던 것입니다. 다수에게 이익이 되는 결정을 내릴 때면 활용되는 원칙이니까요. 중요한 점은 벤담이 공리주의를 생활의 지혜가 아니라 도덕의 기준으로 삼았다는 부분입니다. 사실 공리주의 정신은 불합리한 관행을 극복하는 데 있어 아주 유용합니다. 정책 결정이나 입법 과정에서도 우선적으로 고려해야 하는 원칙일 수 있습니다. 공리주의가 다수에게 유익한 정책을 선택하도록 우리를 이끌기 때문입니다.

Q   공리주의 괜찮은 것 같은데요? 문제점도 있을까요?

A   유용하다 생각할 수도 있지만, 공리주의는 모든 것을 행복이나 쾌락의 양에 따라 결정한다는 기본 입장 때문에 그 한계가 분명합니다. 샌델에 의해 잘 알려진 트롤리 딜레마Trolley dilemma, 즉 폭주하는 전차 사례는 공리주의적 사고를 비판하기 위해 도입된 것입니다.

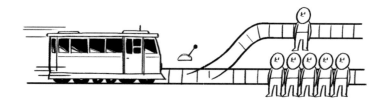

브레이크가 고장 난 채 시속 100Km로 달리는 전차 기관사가 당신이라고 가정하자. 그대로 달리면 철로 공사 중인 5명의 인부가 모두 죽게 된다. 그런데 바로 그때, 옆으로 빠지는 비상 철로를 발견하게 된다. 거기에는 한 명의 인부가 작업을 하고 있다. 당신이 핸들을 돌려 비상 철로로 들어가면, 거기서 일하던 한 명의 인부는 죽을 수밖에 없다. 어떻게 할 것인가?[13]

여기서 문제는 무엇이 최선인지가 아니라, 어떻게 최악을 피할 것인가입니다. 피해의 최소화가 최선이라고 한다면, 최대 다수의 행복과 최소의 불행을 선택하는 것이 공리주의적 선택이 되겠죠. 벤담은 공리주의를 활용하여 세운 여러 가지 사회정책을 예로 제시했습니다. 일례로 그는 거지들을 한 곳에 수용하여 사회 전체의 고통을 줄여야 한다고 말했죠. 그리고 수용 시설에서 거지들의 방을 배정할 경우, 미쳐 소리를 지르는 사람은 농아와 함께 방을 쓰게 하고, 매춘부와 행실이 좋지 않은 이들은 노인과 함께 방을 쓰도록 하는 공리주의적 조치가 유용하다고 봤습니다.

벤담의 의도는 사회의 공리를 최대화하는 것에 있지만, 이 같은 조치는 우리를 불편하게 만들죠. 공리주의에 대한 비판의 핵심은 정의에 대한 문제를 계산의 문제로 만든다는 데 있습니다. 그리고 다양성을 무시한 채 모든 것을 하나의 통일된 가치 척도로 환산하여 획일화하는 것, 즉 사안의 질적인 차이를 고려하지 않는다는 점에 문제가 있죠.[14] 벤담의 제자인 밀은 공리주의를 보다 인간적으로 만드는 시도를 통해 이런 비판을 해결하려 했습니다. 그는 "만족한 돼지보다는 불만에 찬 인간이 더 낫고, 만족한 바보보다는 불만에 찬 소크라테스가 더 낫다."라는 유명한 말을 남겼죠. 쾌락은 양적인 문제만이 아니며, 여기에는 질적인 차이도 있다는 주장이었습니다. 여기에다 밀은 남에게 해를 끼치지 않는 한 자신이 원하는 것을 행할 자유가 있다고 주장하며, 자유의 권리를 옹호했습니다. 샌델은 밀의 전략이 공리주의 틀을 벗어난 사고에서 찾은 것이라는 점을 지적합니다. 예컨대 밀은 다수의 의견을 따르라고 강요하는 것은 잘못이라고 하며, 인간의 능력을 최대한 자유롭게 발전시켜야 한다고 주장합니다. 이는 명백히 공리주의적 도덕의 한계를 넘어서는 것입니다.[15] 밀이 개성을 중요하게 여긴 이유는 개인의 인격이 중요하기 때문인데, 이 역시 공리주의의 선을 넘어서는 생각이죠.

A 자, 공리주의가 다수의 행복을 추구하는 것이니, 이 원칙에 따라 부자들의 재산을 온 국민에게 나누어 준다면 어떨까요?

Q   정당하다고 보기는 어렵겠네요. 물론 이런 공산주의적 사고방식을 우리 사회에 적용할 수도 없겠지만요.

A   공리주의가 평균화 전략을 채택하지 않는 이유는 그것이 실제적으로 다수의 행복 증대를 가져올 수 없는 체제라고 보기 때문입니다. 공리주의에서 과격한 세금 부과는 생산과 투자에 대한 의욕을 꺾어 결국 생산성을 감소시키고, 이는 전체 행복의 감소까지 이어진다고 봅니다.

자유지상주의 비판

또 다른 비판은 부자에게 세금을 거두어 가난한 사람에게 나누어 주는 것이 기본권 침해라는 관점에서 출발합니다. 이같은 입장을 자유지상주의libertarianism라고 부릅니다. 로버트 노직이 대표적인 학자죠. 자유지상주의에서는 누구나 자신의 소유를 원하는 대로 처분할 자유를 가지며, 아무리 좋은 이유라고 하더라도 나의 소유를 강제로 가져가는 행위는 권리 침해라고 여깁니다. 또한 규제 없는 시장을 옹호하고 정부의 규제를 반대하는데, 이는 인간의 자유 때문이라고 말합니다. 여기서 말하는 기본권으로서의 자유는

"다른 사람의 권리를 존중하는 한, 우리는 자신의 소유물을 마음대로 쓸 수 있다."는 것이죠.[16]

자유지상주의 자유관에는 '나는 나의 것'이라는 인간관이 존재합니다. 이에 대해 샌델은 "나는 과연 나 자신을 소유하고 있는가?" "우리는 과연 전적으로 우리의 것인가?"라고 반문하죠. 샌델은 장기 거래, 안락사, 동의를 받고 이루어지는 식인 행위 등의 사례 분석을 통해 자유지상주의 인간관을 반박합니다. 샌델은 우리가 우리 몸에 대해 제한 없는 소유권을 갖고 있다는 데 동의할 수 없으며, 인간 존엄에 근거하여 자신과 타인의 몸, 그리고 인격을 고려해야 한다고 설명하고 있죠.

Q 내 몸이지만 내가 전적으로 소유하고 있지는 않다? 이 부분은 조금 어렵게 느껴지는데요. 쉬운 사례나 설명이 없을까요?

A 이는 오래된 우리 전통 표현인데, "우리의 몸은 부모로부터 받은 것이니 그것을 훼손하지 않는 것이 효의 시작이다."라는 말이 있죠. 『효경』에 나오는 말입니다. 물론 저나 샌델 교수는 전통을 무조건 존중하는 전통주의자가 아닙니다. 제 말의 핵심은 적어도 내

몸이 남과 아무런 상관없이 내 것이고, 그래서 내가 내 몸을 마음대로 해도 상관없다는 생각에 문제가 있다는 것을 지적하는 것입니다. 나는 단독자로서 다른 모든 사람과 분리된 개체라 생각하지만, 사실은 가족을 위시하여 내 주위의 많은 사람들과 이러저러한 방식으로 연결되어 있죠. 그러니 내 몸은 전적으로 내 소유라는 말에는 문제가 있는 것입니다. 예를 들어 내가 잘 모르는 사람이지만 그가 자살을 해서 죽었다는 소식을 듣게 되면 나도 충격을 받게 되죠. 더욱이 가족이라면 그 충격은 말할 수 없이 큽니다. 아무 관계가 없다면 그런 충격이 있을 수 없죠.

Q　그렇군요. 몸이 분리되어 존재한다고 자아 자체가 분리된 존재라고 말할 수는 없겠네요. 소유도 마찬가지고요. 자유지상주의자가 주장하는 자유관과 인간관에 문제가 있다는 것을 이해했습니다. 그러면 그런 인간관이 가져오는 문제를 구체적인 사례를 통해 설명할 수 있을까요?

A　샌델은 징병제와 모병제를 예시로 가져와 이를 쉽게 설명하고 있습니다. 특히 우리나라는 의무병 제도를 갖고 있어 그의 논점을

더 쉽게 이해할 수 있습니다. 우리나라의 경우 몇몇 정치가들이 선출직에 출마했다가 본인 또는 아들의 병역 회피 사실이 알려져 곤욕을 겪거나 낙마하는 일이 있기도 했죠. 자유지상주의나 공리주의 입장에서 군 문제를 해결하는 가장 좋은 방법은 모병제입니다. 모병제를 통해 개인이 입대 여부에 대해 보상을 고려해서 자발적으로 결정할 수 있다면 사람들은 자신의 이익을 극대화할 수 있겠죠. 군 복무를 원하지 않으면 입대하지 않음으로써 자신의 이익을 보호하고요.

그러나 모병제는 징병제에 있는 중요한 요소를 갖고 있지 않습니다. 먼저 모병제는 공정하거나 자유로운 결정에 의존하여 시행되는 제도가 아닙니다. 모병제는 개인의 합의에 따르는 제도처럼 보이지만, 실상은 조금 다릅니다. 경제적 어려움이 있거나 군 입대 외 다른 대안이 없는 사람들이 선택하는 경우가 있습니다. 또 특권층의 자녀는 군 복무를 얼마든지 피할 수 있겠죠. 결론적으로 모병제는 사회적 여건에 의해 발생한 불공정과 강제성에 의해 성취되는 제도인 셈입니다. 샌델은 실제로 미국의 경우가 이러하다고 지적하고 있습니다.[17]

그뿐만이 아닙니다. 샌델은 모병제가 시민의 미덕과 공동선을 해

친다고 말합니다. 병역은 여러 직업 가운데 하나가 아니라 시민의 의무와 관련된 제도입니다. 모든 시민에게는 나라에 봉사할 의무가 있으며, 특히 국가 방위 의무는 국가 존립에 중요한 부분입니다. 샌델은 사회계약론자 루소의 말을 인용하여 이 같은 점을 강조합니다. "시민이 공공의 업무를 우선으로 해야 할 일로 여기지 않게 되면, 그리고 그것을 사람이 아닌 돈으로 해결하려 들면, 국가의 몰락이 가까워진다."[18] 이런 논리는 자유지상주의에서는 나올 수 없는 생각입니다.

칸트 자유주의의 한계

Q 자유지상주의와는 다른 형태의 '자유주의'에 대해서도 궁금해지는데요. 자유주의는 어떠한 관점인가요?

A 자유주의 철학의 핵심 사상을 제공한 철학자는 임마누엘 칸트입니다. 그는 인간의 보편적 인권에 대한 믿음을 바탕으로, 인간은 도구가 되어서는 안 되며 모든 인간이 그 자체로 존중받아야 한다고 말했습니다. 인간에게 동물적 속성이 있기는 하지만, 동물과 달리 존엄성을 지닌다는 것이죠. 그렇다면 인간은 어떤 점에서 동물

과 구분될 수 있을까요? 인간은 욕망에 따라서만 행동하지 않고, 스스로 정한 원칙에 따라 욕망을 거스르는 행동을 할 수 있습니다. 나아가 인간은 이성이 있기에 누구에게나 보편적으로 적용할 수 있는 행동 규칙을 정할 수 있고, 의지를 통해 그 규칙을 실천할 수도 있습니다. 인간이 이런 존재이기 때문에 인간은 존엄성을 갖는다는 것입니다. 인간은 존엄하므로 단순히 수단으로 대접받아서는 안 되며, 자율성을 가진 인격으로 존중되어야 한다는 것이 칸트의 자유주의 핵심 사상입니다. 간단히 말해 인간은 자신이 수립한 원칙에 따라 행동할 수 있기에 자유로우며, 자신의 욕망에 따르는 행동은 자유와 거리가 멀다는 것이죠.

샌델 교수가 『정의란 무엇인가』에서 사용한 트롤리 딜레마, 즉 폭주하는 전차 사례의 두 번째 예시는 칸트의 자유주의와 연관됩니다. 그 내용은 이렇습니다.

여러분은 기관사가 아니라 다리에서 철도를 내려다보고 서 있는 구경꾼이다. 맹렬한 속도로 5명의 인부를 향해 달려가는 전차의 절박한 상황을 알게된 당신은 문득 다리 난간에 기댄 채 서 있는 아주 뚱뚱한 한 남자를 발견한다. 만일 당신이 그 남자를 다리 아래로 떨어뜨린다면 전차를 세울 수 있어서 5명의 죽음을 막을 수 있다. 당신은 그 뚱뚱한 남자를 밀겠는가?[19]

이 이야기를 들으면 적지 않은 사람들은 내 손으로 무고한 사람을 밀 수는 없다고 답할 것입니다. 아무리 좋은 목적이라도 사람을 도구로 사용할 수는 없기 때문이죠. 공리주의의 관점에서 좋은 결과는 계산에 의존한 것이므로 모든 문제를 숫자로 해결하기 마련입니다. 그러나 이처럼 인간의 생명과 관련한 문제라면, 우리는 즉각적으로 그것을 꺼리는 태도를 갖게 됩니다. 도덕의 이러한 특징을 가장 잘 설명한 이가 칸트입니다. 칸트의 자유주의는 공리주의와 자유지상주의의 문제점을 지적하는 최적의 논리를 제공합니다.

그런데 이러한 칸트의 입장에도 큰 문제점이 있습니다. 바로 인간 이성에 지나치게 의존한다는 점이죠. 칸트는 도덕 명령을 적용하여 논리를 추구합니다. 그래서 그가 발견한 무조건적 명령인 '정언명령'은 논리적으로 생각하는 존재라면 인간만이 아니라 외계인도 마땅히 따를 수밖에 없는 것으로 제시됩니다. "네 의지의 준칙이 언제나 동시에 보편적인 법칙이 될 수 있도록 행동하라."라는 것이 정언명령인데, 이는 예외 없이 적용될 보편성을 갖습니다. 환경이나 여건과 무관하게 예외 없이 보편적으로 적용되어야 한다는 것인데요. 바로 이 지점에서 문제가 나타납니다.

Q   우선 정언명령의 의미와 논리를 쉽게 설명해 주시겠어요?

A   정언명령이란 무조건적으로 따라야 할 명령이라는 말입니다. 구별되는 말로는 가언명령이 있는데, 그것은 조건부 명령이죠. 조건부 명령은 "만일 당신이 ~을 원하면 이렇게 행동하라."라는 형식을 갖습니다. 그 조건을 바라지 않으면 그 행동은 안 해도 되죠. 그런데 "인간이라면 무조건 따라야 할 그런 무조건적 명령은 없을까?"라는 질문이 칸트의 표현으로 "정언명령이란 무엇인가?"라고 하는 것입니다.

칸트가 고안한 정언명령은 구체적인 하나의 행동 지침이 아니라, 우리가 하려는 행위가 도덕적으로 될 수 있는 원칙의 형식을 갖습니다. 즉 모든 행위의 원리를 적용해서 그 구체적인 행위가 도덕적인지 아닌지 판별할 수 있도록 하는 고차적 원리 말이죠. 예를 들어 "거짓 약속은 결코 허용될 수 없다."라는 말이 도덕적인지를 알려면 그것을 정언명령에 적용해 보라고 칸트는 말합니다. 이때 '거짓 약속'이 보편적 법칙이 될 수 있는지 아닌지에 따라서 도덕성이 판단됩니다. 그렇다면 거짓 약속은 보편적 법칙이 될 수 있을까요? 그렇지 않습니다. 거짓 약속이 보편적 법칙이 된다면 세상 모든 약속이 전부 거짓말이 될 수 있으니 이제는 약속이라는 것 자체가 더는 존재할 수 없게 됩니다. 즉 거짓 약속은 보편적 법칙이 되자마자 자기모순에 빠지게 되어, 거짓 약속 자체가 존재할 수 없게 됩니다. 이런 근거로 거짓 약속은 비도덕적 행위입니다.[20]

그런데 칸트의 이러한 논리를 실제에 적용해 보면, 많은 어려움을 겪게 됩니다. 만일 당신 집에 숨어 있는 친구를 죽이려고 칼을 든 살인자가 왔다면, 당신은 정언명령에 근거해 진실을 말해야 할까요? 이에 대한 칸트의 대답은 물론 진실을 말해야 한다는 것입니다. 그러니 이런 논리는 실제 삶에서는 아주 논쟁적일 수밖에 없죠. 칸트는 우리에게 도덕적인 행위를 하라고 합니다. 그러면 우리는 칸트의 주장을 받아들여, 살인자에게 내 집에 당신이 찾는 사람이 있다는 진실을 말해야 할까요?

Q   사실대로 말하면 친구가 목숨을 잃을지도 모르지만, 그렇
다고 사실을 말하지 않는다면 정언명령에 어긋나게 되는 상황
이군요.

A   그렇습니다. 샌델은 이런 경우 칸트를 유연하게 해석함으로써
변호할 수 있다고 말합니다. 칼을 들고 찾아온 살인자에게 친구가
집 안에 있다는 사실을 말하지 않고(거짓말을 말하지 않음), 그 대
신 조금 전까지 친구가 집 근처 길에 있었다는 사실만(진실이지만
살인자의 질문에 대한 답은 아님) 말하는 것입니다. 샌델은 빌 클
린턴 전 대통령이 모니카 르윈스키와의 성 추문을 회피하려고 했
던 말을 인용하기도 하는데요. 클린턴은 언론에 대고 "저는 르윈스
키라는 여성과 섹스를 한 적이 없습니다."라고 말했습니다. 그런데
이후 그녀와 성적 접촉이 있었다는 사실이 드러났고, 대통령이 대
국민 거짓말을 했다는 이유로 탄핵해야 한다는 말까지 나왔죠. 이
때 클린턴은 변호인을 통해 성관계라는 말의 정의는 사전마다 일
정한 방식으로 내리고 있는데, 클린턴은 그런 정의에 부합하는 방
식의 성적 접촉은 하지 않았다고 대답했습니다.[21]

이것은 사실상 말장난이죠. 이런 말재간으로는 칸트를 제대로 옹

호할 수 없을 것입니다. 그래서 저는 이를 샌델의 조크로 여깁니다. 샌델도 앞선 두 가지 사례의 차이를 설명하고 있는데요. 살인자의 질문에 대한 대답에서, 친구를 구하려는 의도로 부분적 진실을 말함으로써 상황을 모면하려고 하는 태도에는 온전하지는 않으나 도덕법에 대한 존중도 담고 있죠. 그러나 클린턴 대통령 변호인의 답변에서는 대통령으로서의 의무만 작용할 뿐 도덕법에 대한 존중을 우리는 읽을 수 없습니다. 따라서 두 사례 모두 칸트의 도덕철학을 진정으로 변호하는 것과는 거리가 있습니다.

어쨌든 칸트의 정언명령은 논리에 기초하여 예외 없이 엄격히 적용되어야 해서 현실에 그대로 적용하기는 어렵습니다. 샌델도 여기서 자유주의의 문제점을 찾는 것이고요. 물론 그렇다고 해서 칸트의 사상이 적용 불가능한 이론이며 무시해도 좋다는 말은 결코 아닙니다. 칸트의 사상은 인간의 도덕성의 핵심을 포착한 존중받아 마땅한 이론이고, 샌델 교수도 칸트에게 충분한 존경을 표합니다. 그래서 위와 같이 칸트에 대한 무리한 옹호도 시도하는 것이고요.

롤스의 자유주의적 평등주의

Q 그렇다면 롤스의 자유주의 입장이 이 칸트와 유사하다는 것인가요? 논리성을 바탕으로 이성에서 보편적인 정언명령을 찾아내는 시도와 원초적 계약 상황을 상상하고 합리적 개인이 정의의 원리를 발견한다는 것과 유사해 보입니다.

A 그렇습니다. 도덕 원칙이 경험에서 나올 수 없듯이, 정의 원칙도 현존하는 공동체 이익이나 욕구에 기초할 수 없다고 봤습니다. 그래서 칸트나 롤스 모두 가상의 계약을 염두에 둔 것입니다. 칸트는 가상 계약이 구체적으로 어떤 모습을 가지는가에 대해서는 말하지 않았습니다. 반면 롤스의 경우 가상의 계약 상황을 그리면서, 정의의 원칙이 무엇이고 또 어떻게 도출되는지를 말하고 있는데요. 앞서 언급했던 '무지의 베일'이 가상 계약 상황을 위해 롤스가 고안한 장치인 것이죠.

롤스의 무지의 베일에 관하여 샌델은 이렇게 정리해서 설명하고 있습니다.

원칙을 정하려고 모인 사람들이 각자 자기가 사회에서 어떤 위치에 있는지 잠시 잊게 된다고 상상해 보자. 즉 자신이 어떤 사람인지 일시적으로나마 전혀 알 수 없는 '무지의 장막' 뒤에서 선택해야 한다고 상상하자. 내가 어떤 계층, 성별, 인종, 민족, 정치적 견해, 종교적 신념을 갖고 있는지 모른다. 내가 건강한지 허약한지, 고등 교육을 받았는지 고등학교를 중퇴했는지, 좋은 집안에서 태어났는지 문제가 있는 집안에서 태어났는지 전혀 모르기 때문에 내게 무엇이 유리하고 무엇이 불리한지 모른다. 그야말로 자신에 대해 아무것도 모르는, 원초적으로 평등한 위치에서 선택하게 된다. 이처럼 협상에서 어느 누구도 우월한 위치에 있지 않다면, 우리가 합의한 원칙은 정당하다고 할 수 있다.[22]

샌델은 무지의 베일 안에서 개인의 현실적인 이익에 대한 고려는 당연히 배제되지만, 그와 더불어 도덕적, 종교적 신념도 배제된다는 점에 주목합니다. 여하튼 사람들이 무지의 베일 안에서 공리주의를 선택하지 않을 것이라는 점은 명백해 보입니다. 자신에게 어떤 이익이 돌아올지 모르는 상황에서는 다수보다는 모두에게 유리한 것을 생각하기 때문입니다. 롤스는 가상의 계약 상황에서 정의의 두 원칙이 합의에 이를 것이라고 말합니다.

첫 번째는 언론 및 종교의 자유 같은 기본 자유가 모든 시민에게 평등하게 주어져야 한다는 원칙이다. 이는 사회적 공리나 일반적 복지에 대한 고려보다 앞선다. 두 번째 원칙은 사회적, 정치적 평등과 관련되어 있다. 이는 소득과 부를 똑같이 나누라고 요구하지 않지만, 불평등한 사회적, 경제적 배분은 사회 구성원 가운데 가장 어려운 사람에게 혜택이 돌아가는 경우에만 허용된다.[23]

롤스에 대한 샌델의 논의는 정교하게 진행됩니다. 우선 가상의 계약 상황에 담긴 도덕적 효력을 이해하기 위해 실제 계약 상황과 요소를 하나하나 따져봅니다. 그리고 롤스가 옳다고 가정하면서, 롤스가 도출한 원칙이 타당한지 검토합니다. 샌델은 롤스가 설정한 무지의 장막이라는 장치에 대해서는 "소득과 기회의 분배는 도덕적 관점에서 볼 때 임의적 요소에 기초해서는 안 된다."[24]는 도덕적 주장이 숨어 있다고 지적합니다. 봉건 귀족계급이나 카스트제도가 정의롭다고 주장하는 사람이 없는 것처럼, 우리 삶의 전망이 이러한 임의적 요소에 달려 있다면 정의롭지 못하다는 통찰을 가상의 계약 상황을 통해 보여주고 있다는 것입니다.

Q   자유지상주의 체제에서 분배되는 몫은 아주 우연한 요소에 의해 부적절하게 영향을 받는 상황이 분명 생길 텐데요. 롤스의 관점에 따르면 이러한 상황은 정의롭지 못하다는 것인가요?

A 그렇죠. 따라서 공정한 사회에서는 제도적으로 기회균등이 이루어질 수 있는 조치를 해야 한다는 것이 롤스의 주장입니다. 그는 같은 관점에서 능력주의 사회도 비판했는데요. 능력주의는 능력에만 초점을 맞추어 분배를 결정한다는 점에서 공정해 보이지만, 실제로는 자신의 재능을 계발할 기회가 누구에게나 똑같이 주어져야만 자유 시장을 통해 분배되는 소득과 부가 정당할 수 있다는 것입니다. 능력주의 사회에서 승자가 갖는 자격은 모두 같은 출발선에서 출발할 수 있을 때 주어집니다. 그러나 현실은 그렇지 않으므로 롤스는 자유지상주의나 능력주의에서 모두 발견되는 임의성을 주시하며 평등이 더욱 강조될 필요가 있다고 말합니다.

　평등을 강조하면 획일화된 평등을 선호하기 쉽습니다. 그러나 롤스는 그것을 시장경제사회의 유일한 대안으로 여기지 않습니다. 따라서 롤스는 차별적인 분배의 경우 그 사회에서 가장 어려운 사람들에게 혜택이 돌아가도록 해야 한다는 정의의 두 번째 원칙을 제안합니다. 불평등의 정당화는 공리주의를 통해서가 아니라, 사회적 약자들에게 혜택을 제공할 수 있을 때만 가능하다는 것이죠. 여기에 대해 샌델은 "미국 정치철학이 지금까지 내놓은, 좀 더 평등한 사회를 이루기 위한 가장 설득력 있는 주장"[25] 이라고 말하며 롤스를 높이 평가합니다. 그러나 샌델은 롤스의 이론에는 여전히 한계가 있다고 생각합니다.

자유주의적 개인주의 비판

Q 롤스 이론에는 구체적으로 어떤 한계가 있다고 봤나요?

A 샌델은 롤스의 접근이 너무나 개인주의적이라는 데 문제가 있다고 생각했습니다. 롤스는 인간의 자유가 제약받는 것은 오직 자신이 자발적으로 갖는 의무에 의해서만 가능하다고 생각했어요. 롤스의 자유주의적 개인주의자는 도덕적 행위자인 우리가 자유롭고 독립적인 존재이며, 기존 도덕의 속박을 받지 않고 자신의 목적을 스스로 선택할 수 있다고 여깁니다. 롤스는 관습이나 전통 혹은 물려받은 지위가 아니라, 오직 개인의 자유로운 선택만이 우리를 도덕적으로 강제할 수 있는 의무의 원천이라고 믿는데요. 이러한 자아를 '부담을 감수하지 않는 자아the unencumbered self'라고 합니다. 다른 말로는 '비연고적 자아'라고 번역되기도 하죠. 이는 전통, 내가 속한 가족, 국가와 같은 집단에서 기인하는 부담을 지지 않는, 다시 말해 어떠한 연고도 인정하지 않는 자아라는 뜻입니다.[26]

Q 그런 자아를 상상할 수는 있겠지만 실제로도 존재할 수 있을까요?

A 물론 현실 세상에서는 그런 자아가 존재하지 않죠. 그런데 실제로 존재하느냐의 문제가 초점이 아닙니다. 롤스는 상상을 통해 그런 주체적인 자아가 가능하다고 보았고 그런 상상적 주체들이 계약을 통해 정의로운 사회의 조건을 만드는 것이 가능하다고 생각했습니다. 상상을 통해 온갖 부정의를 만들어내는 사적인 연고들을 모두 지워버리는 '무지의 베일' 안으로 들어간다. 그래서 완전히 중립적이며 철저히 합리적으로 생각하는, '부담을 감수하지 않는 자아' 혹은 '비연고적 자아'의 입장에 선다. 이런 주체들이 만든 '원초적 계약 상황'에서 정의의 원칙을 만든다. 그러면 그 원칙이 실제 현실에 적용될 때 공정성을 확보해낼 수 있지 않겠는가. 이런 구상을 했던 것이죠. 상당히 강력한 이론적 구상이라고 할 수 있죠.

Q 정의의 이론을 다루는 것이니 상당히 설득력이 있다고 생각되네요. 이것이 롤스가 쓴 『정의론』의 내용인가요?

A   그렇습니다. 이 책은 이처럼 아주 간단한 구성을 토대로 구체적인 정책의 면까지 매우 깊고 자세한 이론 체계를 구성합니다. 책 분량도 상당하지요. 이 책이 나오면서 정치철학계에 엄청난 영향을 끼쳤고, 출판 이후로 정치사상은 정의 개념을 중심으로 재구성되었다고 해도 과언이 아닐 정도가 됩니다.

샌델 교수는 인간에게 자신이 속한 환경을 되돌아보고 그 한계를 뛰어넘을 이성적 역량이 있다는 점에서는 롤스와 같은 자유주의자들의 입장에 동의합니다. 그러나 그가 비판하는 것은, 원초적 계약 상황에 서 있는 소위 '부담을 지지 않는 자아'라는 것이 상상하는 만큼 중립적일 수가 없다는 점을 지적합니다. 롤스의 사상이 전제한 인간관은 인간에 대한 이해가 충분하지 않은 상태에서 정립된 것이라 지적하는데요. 샌델이 보기에는 그 어떤 인간도 자신이 성장한 환경에서 완전히 벗어날 수는 없다는 거죠. 아무리 가상의 계약 상황을 설정하고 무지의 베일을 상상한다고 해도, 이미 특정한 가치에 대한 믿음은 인간에게 깊이 배어 있다는 것입니다.

이것을 선관념이란 말을 써서 설명해 보겠습니다. 무엇이 좋은 삶인가에 대한 생각을 선관념이라고 하는데, 칸트와 롤스는 선관념이 종교적이건 세속적이건 간에 정의와 자유를 논의할 때는 배제되어야 한다고 생각했고 또 배제하는 것이 가능하다고 믿었습니다. 그런 점에서 두 사람은 "옳음이 선(善)보다 앞선다."라고 본 것입니다. '선 혹은 좋음에 대한 옳음의 우선성 the priority of the right over the good'이 그들의 주장입니다. 그러나 샌델은 옳음에 대해 논의하며 그 기준을 다루는 자아에게는 이미 어떤 좋음에 대한 생각, 즉 선에 대한 특정 관념이 그 자아의 의식 속에 자리 잡고 있다고 주장합니다. 인간이 거기에서 완전히 자유로울 수는 없다고 말이죠. 샌델의 입장에서는 "선이 옳음에 앞서 있다."[27] 혹은 '옳음에 대한 선 혹은 좋음의 우선성 the priority of the good over the right'이 타당하다는 것이죠.

여기서 주의해야 할 것은 '좋음에 대한 옳음의 우선성'은 당위의 주장, 즉 마땅히 그렇게 해야만 한다는 주장인 반면, '옳음에 대한 좋음의 우선성'은 사실에 대한 주장, 즉 인간에 대한 철학적 이해에 근거한 주장이라는 점입니다. 샌델의 주장은 좋음이 옳음에 우선해야만 한다는 당위의 주장이 아니라는 것이죠. 이것이 샌델에 대해 많은 사람들이 오해하는 부분입니다. 마치 무엇이 옳건 간에 좋은 게 우선이라거나 또는 옳은 것을 따지기 전에 우리는 공동체가 가치 있게 여기는 전통을 우선 따라야만 한다라는 주장을 샌델이 하는 것처럼 말이죠. 바로 이런 오해 때문에 샌델 교수를 공통체주의자라고 부르는 경우가 있지만, 샌델 교수는 자신이 공동체주의자라고 불리는 것을 거부합니다. 샌델은 인간이 완전한 중립적 사유가 가능한 존재가 아닌데 그런 존재인 것처럼 생각하고 이론을 구성하니 자유주의에 근본적인 문제가 발생한다고 지적한 것입니다.

Q   그러면 인간이 완전히 중립적일 수 없는 것인지, 또 상상으로도 가능하지 않은 것인지를 어떻게 설명할 수 있죠?

A   그것은 철학적으로 따져서 내린 결론입니다. 현대의 윤리학자 앨러스터 매킨타이어 Alasdair MacIntyre 는 "인간은 본래 이야기하는 존재"라고 했습니다. 샌델은 매킨타이어의 말에 동의하고 있습니다. 살아가는 과정은 삶의 이야기를 만드는 과정이며, 인간은 자신의 이야기 속에서 스스로에 대해 해석해 간다는 것이죠. 『정의란 무엇인가』의 한 구절을 인용해 보겠습니다.

> 자유주의자들이 생각하는 자유의 개념이 가진 약점은 바로 '호소력'과 관련이 있다. 만일 우리가 스스로 자유롭고 독립적인 자아로 여긴다면, 또한 스

스로 선택하지 않는 도덕에 구속되지 않는다고 생각한다면 어떨까? 우리는 공통적으로 인식하고 서로 칭찬하기까지 하는 다양한 도덕적, 정치적 의무를 이해할 수 없을 것이다. 여기에는 연대와 충성의 의무, 역사적 기억과 종교적 신념에 관한 의무가 포함된다. 이는 우리의 정체성을 형성한 공동체와 전통으로부터 생겨난 도덕이다. 우리가 자신을 '부담을 감수하는 (encumbered) 자아'로 여기지 않는 한, 다시 말해 내가 정하지 않은 도덕적 요구까지 받아들일 자세를 취하지 않는 한, 도덕 및 정치적 경험의 이러한 측면을 이해하고 받아들이기는 어렵다.[28]

샌델이 지적하는 것은 최선을 다해 중립적인 자세를 취한다고 하지만, 근원적으로 우리에게 장착되어 있는 선관념이 있기 때문에 원칙에 있어서도 쉽게 동의할 수 없을뿐더러 동의한다고 해도 모두에게 설득력 있게 다가오기 어렵다는 것이죠. 예를 들어 모두가 자신의 종교적 입장을 벗어버리고 대화에 들어오라고 한다면, 그런 공론장에서 배제되는 사람이 반드시 생깁니다. 그런 사람들은 공론장의 외곽에서 세력을 형성하여 공론장 자체를 파괴합니다. 이것이 자유주의 정의관을 적용한 공론장 이론의 한계입니다. 그러면 어떻게 할 것인가? 샌델은 우리가 자신의 입장을 넘어서 보편적 가치에 동의할 수 있는 존재임을 인정하면서도 서로가 가진 특수한 입장을 인정하는 가운데 정의로움과 공정함을 다루어가야 한다는 입장을 취합니다.

샌델은 이러한 입장을 상세하게 서술하기 위해『정의란 무엇인가』7장에서 아리스토텔레스에 대한 논의를 시작합니다. 7장에서는 소수 집단 우대 정책과 경매로 대학생 뽑기를 예로 활용하며, 8장에서는 개인의 자유에 근거한 도덕성을 논의하던 기존의 패러다임을 도덕적 인간의 자격과 제도가 부여하는 영예의 의미에 대한 논의로 이끌어 갑니다. 이는 인간다운 삶이 곧 정치적 삶과 연결된다는 점을 짚어내기 위한 것입니다. 좋은 시민이 되는 것과 좋은 인간이 되는 것은 밀접하게 연결됩니다. 샌델은 정의가 좋은 삶에 대한 견해 없이 중립을 지킴으로써 이루어진다고 여기는 자유주의적 믿음은 현실적으로 정반대의 결과를 낼 수 있다고 지적합니다.『정의란 무엇인가』에서 샌델은 자유주의 정신이 지배하는 이 시대에 대해 다음과 같은 경고를 합니다.

> 가능하지도 않은 중립을 가장한 채 중요한 공적 문제를 결정하는 행위는 반발과 분노를 일으키기 십상이다. 중요한 도덕 문제에 정치가 개입하지 않으면, 시민의 삶은 저하된다. 사회는 편협하고 배타적인 도덕주의로 흐르기 쉬워진다. 그리고 자유주의자들이 건드리기 두려워하는 곳에는 근본주의자들이 몰려온다.[29]

공동선의 정치

Q　자유주의의 이 같은 한계가 있다고 해도, 오늘날 사회에서 환영을 받았던 데는 이유가 있지 않나요?

A　그것은 자유주의가 이 시대의 많은 문제를 해결하는 것처럼 보였기 때문이죠. 예컨대 많은 분쟁들이 도덕적 혹은 종교적인 이견에 부딪혔을 때 발생하는데, 자유주의는 그런 믿음과 신념을 넘어서 관용의 태도를 보일 수 있기 때문입니다. 토론을 하거나 정책을 수립할 때, 자유주의는 자신의 도덕을 적용하지 않고 일반적인 도덕에도 호소하지 않는 자제력을 발휘합니다. 그러나 샌델은 결과적으로 그런 자유주의는 관용이 넘치는 사회를 만들기보다 근본주의가 만연하는 사회를 만들어내기 쉽다고 지적합니다.

예를 들어 샌델은 동성 결혼 이슈가 결국 어떤 상황을 초래하는지 짚어냅니다. 자유주의에서는 결혼이 개인의 선택 문제라고 주장하겠죠. 그러나 결혼이 오롯이 개인의 선택에 대한 문제라면, 국가가 결혼에 개입할 이유는 전혀 없습니다. 합의에 따라 일부다처나 일처다부의 결혼 상황을 만든다고 해도 국가는 개입할 수 없죠. 하지만 실제로는 그렇게 되지 않도록 국가가 개입합니다. 이는 결혼에 개인의 선택과는 다른 도덕적 차원이 존재하기 때문입니다.

샌델은 결혼의 도덕적 차원은 결혼의 본질을 무엇이라 생각하는 가에 달렸다고 지적합니다. 동성 결혼의 진정한 쟁점은 동성 결혼이 공동체로부터 결혼의 합당한 영예와 인정을 받을 가치가 있는지, 그리고 결혼이 하나의 사회 제도로서 가진 목적을 수행하는지에 있습니다. 만일 결혼의 1차 목적이 출산이라는 주장이 타당하다면, 동성 결혼은 금지되어야 하죠. 그러나 이 경우 결혼하고도 출산하지 않으면 제재를 받아야 마땅하겠죠. 결혼 조건으로 출산 능력을

요구해야 하며, 출산을 배제한 결혼은 금지해야 할 것입니다. 샌델은 매사추세츠주 대법원장 마샬이 결혼의 본질에 대해 "민간 결혼의 필수 조건은 아이를 갖는 것이 아니라 결혼한 부부 사이의 독점적이고 영원한 약속"이라고 내린 판결을 인용합니다.[30]

이러한 사례가 의미하는 것은 무엇일까요? 바로 사안의 본질을 적극적으로 다룰 때 실질적인 관용과 공존이 가능하다는 것입니다. 샌델은 자유주의가 사안의 본질인 도덕적 가치에 거리를 두게 되면서 오히려 참된 관용과 공존에서 멀어진다고 비판하고 있습니다. 그래서 그는 『정의란 무엇인가』에서 다음과 같이 씁니다.

> 정의로운 사회는 단순히 공리를 극대화하거나 선택의 자유를 확보하는 것
> 만으로는 이룰 수 없다. 정의로운 사회를 만들기 위해서는 좋은 삶의 의미
> 를 함께 고민하고, 그 과정에서 생길 수밖에 없는 이견을 기꺼이 수용하는
> 문화를 만들어야 한다.[31]

그래서 샌델은 공동선 the common good 의 정치를 요청합니다. 도덕적인 문제 혹은 가치가 관련된 문제에 대하여 진지하게 다루는 정치를 구상해야 하며, 모든 사회적 문제를 시민적 관심사로 가져오는 정치 문화를 형성해야 한다는 것입니다. 공동선의 정치가 추구

하는 바는 끊임없는 시민적 대화와 숙고를 통해 좋은 삶의 공통 요소를 찾으려 노력하는 정치 공간의 형성입니다.

공동선을 추구하는 새로운 정치의 모습은 다음과 같습니다.

1. 희생과 봉사에 의미를 부여할 수 있는 시민의식 갖기.
2. 시장의 도덕적 한계 자각하기.
3. 불평등을 최소화하고 연대를 형성하는 습관을 갖는 시민 되기.
4. 도덕과 종교에 대해 서로 다른 견해를 가진 다문화적 사회에서 상호 존중을 바탕으로 적극적으로 공적 생활에 참여하기.

『정의란 무엇인가』 새로 읽기

Q 『정의란 무엇인가』 출간 이후 10년이 넘는 세월이 흘렀습니다. 똑같은 책이라도 시대와 상황에 따라 다르게 읽히는 부분이 있을 텐데요. 오늘날의 우리는 『정의란 무엇인가』를 어떻게 받아들이면 좋을까요?

A 책은 한 번 인쇄되면 변하지 않죠. 하지만 책을 읽는 우리는 시대의 흐름에 따라 다른 문제의식을 가집니다. 『정의란 무엇인가』가 처음 출간되었을 때는 당시의 문제의식으로 읽혔을 것입니다.

그러나 그간 우리나라는 엄청난 정치적 변화를 겪었습니다. 대통령이었던 이명박은 구속되어 형을 집행받았고, 박근혜 대통령은 대통령직에서 탄핵당하고 수감 생활을 했죠. 이후 문재인 정권의 5년이 지나고, 이 인터뷰가 진행되는 지금은 윤석열 대통령의 정치를 경험하고 있죠. 정의의 관점에서 볼 때, 지난 13년간의 기복은 너무나 컸습니다. 현재 우리가 마주하게 된 새로운 문제들은 『정의란 무엇인가』를 다시 펼쳐 읽어야 할 이유가 되었습니다.

Q　다행히도 『정의란 무엇인가』 출간 이후 샌델은 그의 정의 담론에 대해 세밀하게 접근할 수 있는 새로운 책들을 여러 권 펴냈죠. 지금부터 교수님과 함께 그 내용을 살펴보겠습니다.

자유:
『정치와 도덕을 말하다』

Q 우리나라에서 『정치와 도덕을 말하다』라는 제목으로 번역된 책의 원제목은 『공공철학』이라고 하셨죠?

A 그렇습니다. 공공철학이란 '시대의 정치적, 법적 논쟁거리에서 철학적 근거를 찾는' 작업이며, '도덕철학과 정치철학을 동시대 대중 담론과 연결 짓는 시도, 즉 공개적으로 철학을 행하는 시도'를 의미합니다.[32] 샌델은 이 책에서 인간의 사회적 삶을 다루는 방식인 정치가 도덕과 어떤 관계를 맺는지 다양한 사례를 통해서 설명합니다. 그리고 그의 시민적 공화주의 사상을 펼치고 있죠. 제가 가장 흥미 있게 읽었던 부분은 이 책의 제1부였는데, 여기서 샌델은 현재 우리가 가진 자유관이 얼마나 협소하고 편향적인지 입증합니

다. 자유 개념은 오랜 전통과 다양한 면모를 갖고 있는데 말이죠.

자유 개념의 다양성

Q "자유란 무엇인가?" 이 간단한 질문에 대한 대답은 매우 다양하겠죠. 오랜 역사를 지나오며 자유 개념이 얼마나 다르게 생각되고 사용되었는지 궁금합니다.

지배받지 않을 자유와 정치적 자유

A 자유 개념은 실로 다양합니다. 샌델 교수는 『정치와 도덕을 말하다』에서 자유주의적 자유관과 공화주의적 자유관이 확연히 다르다는 것을 보여주며, 미국의 역사를 통해 미국인의 자유의식이 어떻게 변하고 있는지를 설명합니다. 그런데 그에 대해 설명하기에 앞서 자유 개념의 다양성을 한번 살펴봤으면 합니다. 이러한 자세한 설명은 샌델 교수가 제시한 것은 아니고, 한나 아렌트와 필립 페팃Philip Pettit 등의 학자들의 자유에 대한 연구를 활용하여 나름대로 구성한 것입니다만, 샌델 교수가 말하는 공화주의적 자유를 이해하는데 도움이 될 것입니다. 짧은 강의가 되겠네요.

Q 자유 개념의 다양성에 대한 짧은 강의라니 기대됩니다. 시작해 주시죠.

A 우선 서양 역사에서 자유란 공적 공간, 즉 정치적 공간에서 내가 갖는 자유에서 시작합니다. 남과 더불어 살아가는 삶에서 내가 누리는 자유를 말하는 것입니다. 정치 공간에서의 자유는 권력을 가진 자의 뜻에 나의 삶이 좌우되지 않는 것을 말하며, 다른 사람의 지배나 통치에서 벗어난 상태를 의미합니다.

지배받지 않을 자유라는 생각은 고대 그리스 역사가 헤로도토스의 『역사』 제3권에서 처음 제시됩니다. 여기에는 우리가 흔히 '법 앞에서의 평등'이라고 번역하는 '이소노미아isonomia'라는 단어가 등장합니다.[33] 이 단어는 그리스어로 평등을 의미하는 'Iso'와 법을 의미하는 'Nomos'가 결합해 만들어진 단어죠.

이소노미아 개념이 등장하게 된 역사적 배경에는 고대 페르시아에서 일어난 반란 사건이 있습니다. 고대 페르시아의 왕 캄뷔세스가 속임에 빠져 반란을 당해 죽자, 오타네스 등 7명이 거사를 일으켜 반란자를 처단하고 새로운 국가 구성을 의논했습니다. 왕이 존재하지 않은 상태에서 오타네스는 독재를 비판하고 민중의 정치를

주장하며 법을 만들어 평등한 나라를 만들자고 했죠. 이때 등장하는 '평등'이 '이소노미아'입니다. 결국 익숙했던 왕정을 채택하기로 다수의 의견이 모이자, 오타네스는 자신이 왕에 출마하지 않는 대신 자발적인 선택 없이는 왕의 통치 ruling를 받지 않는 자유 가문으로 인정해 달라고 요청하고 이를 승인받았습니다.

이소노미아, 즉 통치받지 않을 자유란 왕정 아래에서는 결코 이루어질 수 없는 것입니다. 그렇기 때문에 오타네스는 왕이 없는 나라, 법에 의한 정치를 주장했죠. 이것은 후일 공화주의와 연결됩니다. 왕의 통치를 받지 않는다고 해서 무법 상태를 의미하는 것은 아닙니다. 민중의 뜻은 법으로 형성되고, 그 법은 법을 만들기로 합의한 사람들을 결속합니다. 이를 통해 법의 영향력이 작용하는 공동체가 가능해지는 것입니다.

한자어 공화(共和)도 이와 비슷한 상황에서 나왔습니다. 중국 주(周)나라 여왕(厲王)이 재위 기간에 이익을 탐하고 무당을 이용하여 폭압적으로 권력을 행사하자, 백성이 난을 일으켰습니다. 그러자 여왕은 도망가 버리고 국정은 공백 상태가 되었죠. 두 명의 재상 소공(召公)과 주공(周公)은 도망간 왕이 죽을 때까지 국정을 대신 관리했습니다. 이처럼 왕이 없을 때 정무를 관리한 일을 가리켜 '공화(共和)'라고 부르게 되었죠.[34]

이소노미아는 왕의 지배와 통치를 거부합니다. 대신 법의 영향력 안에서 민중의 공적 삶을 가능하게 하죠. 그래서 한나 아렌트는 이소노미아를 번역할 때 '법 앞에서의before 평등'보다는 '법의 영역 안에서의in 평등'이 원래 의미에 더 부합한다고 말합니다. 공동체를 구성하는 사람들의 평등이기 때문입니다.[35] 서양에서는 오랫동안 왕의 지배가 이루어졌습니다. 근대에 이르러서야 민주주의적 법의 지배로 바뀌기 시작했죠. 근대에는 많은 국가가 왕정을 종식하고 법을 중심으로 하는 공화정을 형성했습니다. 이 시기에 법을 통해 정치 공간에서의 자유를 보장한다는 의미인 '정치적 자유' 개념이 등장했습니다.

Q 왕정에서 법을 중심으로 하는 정치가 자리 잡으면서 자유의 개념도 새롭게 등장하게 된 거군요. 정치적 자유는 어떤 개념인가요?

A 정치적 자유란, 산에서 홀로 자유롭게 살아가는 자유인 같은 식의 자유를 의미하는 것이 아닙니다. 다른 사람들과 사회를 이루고 정치 공간을 만들어 그 안에서 평등을 누리는 주권자로 살아가는 것, 이것이 바로 우리가 정치적 자유를 통해 추구하는 목표입니다. 이는 국민국가를 형성하며 가능해졌습니다.

근대 국민국가는 국민, 영토, 주권을 중심 개념으로 세웠습니다. 중세의 왕정국가처럼 왕이 주권을 가진 것이 아니라, 국민이 주권을 가졌습니다. 근대 민주 국가는 법을 통해 운영되는 정치 공동체를 말합니다. 그런데 사실 인간은 태어난 그대로의 자연 상태에서는 평등하지 않습니다. 신체적 조건이나 태어난 환경이 개인마다

모두 다르기 때문이죠. 그렇다면 인간은 어떤 식으로 평등할 수 있을까요? 정치적 공간을 형성하고, 그 안에서 모든 개인이 정치적으로 평등함을 선포하면 됩니다. 평등이란 사실 이러한 조건에서만 가능합니다.

만일 경제적 여건을 포함한 모든 물질적 환경이 동등하다면 이는 사회적 평등을 의미하는 것이며, 정치적 평등과는 다릅니다. 정치적 평등은 정치적 기회의 평등을 의미합니다. 이는 존엄한 인간으로서의 평등으로 나아가는 길이죠. 정치적 자유는 정치적 평등을 기약하며, 정치적 평등의 가장 중요한 요소는 평등하게 말할 자유입니다. 따라서 민주주의 사회에서는 언론의 자유가 정치적 자유의 출발점이 됩니다.

내면세계의 자유

Q 외부의 정치적 환경과 상관없이 나의 내면세계, 정신세계에서의 자유를 누리는 것도 가능하지 않나요?

A 물론입니다. 우리는 사회적 여건과는 무관하게 내면세계에서의 자유를 경험할 수도 있고, 또 그것을 무엇보다도 중요하게 여길 수 있습니다. 심지어 억압과 정치적 폭력이 난무하는 사회에서도, 평온한 내면세계를 형성하고 자유를 누리는 것이 가능하죠. 물론 "그런 세상에서 나 혼자만 평온한 정신세계를 누리며 산다는 것이 어떤 의미가 있는가?"라는 문제가 있긴 하지만요. 그렇지만 인간이 정치적 무력감을 느낄 때 내면적 자유도 아주 중요한 역할을 합니다.

역사적으로 보면, 내면세계의 자유와 연관된 철학은 정치적 자유가 제한을 받았을 때 나타났습니다. 고대 로마에서 공화정이 위축되고 황제정이 시작되자, 자유에 대한 인식이 변해갔습니다. 외부의 정치적 부자유의 환경에서 벗어나 마음속의 자유, 즉 내면의 자유를 지향하는 경향이 생겼습니다. 정치적 삶이 강조되던 고대 그리스에서는 마음의 자유와 같은 개념은 존재하지 않았죠. 로마 황제의 통치 아래에서 발달한 기독교에 와서야 자유는 주로 내적 평안을 위한 자유, 내적 갈등에서 벗어나기 위한 것으로 설명됩니다. 이 시기 종교는 정치를 경멸하는 분위기를 형성했고, 정치적 자유를 논의하기 위한 논의의 공간은 만들어지지 않았습니다.

자율과 자아실현의 자유

Q　서양의 중세 시기는 많이 답답한 느낌을 주네요. 그러면 교수님, 근대에 들어와서 자유 개념은 큰 변화를 겪게 되겠군요. 근대에 들어와서는 자유와 자율이란 말이 비슷한 의미로 쓰인다는 말을 들은 것 같습니다. 이 둘은 어떤 관계인가요?

A　자유를 자율로 이해한 학자는 칸트가 대표적입니다. 그는 인간이 자연법칙의 지배를 받지 않고 스스로 만든 법에 따라 '자율적으로' 살아갈 때 자유로운 것이라 여겼습니다. 인간은 몸을 가지고 있기에 자연법칙을 따를 수밖에 없습니다. 생존을 위해 식욕을 따라야 하는 것이 바로 인간이죠. 인간의 삶은 자연의 가장 근본적 법칙인 인과율에서 벗어날 수 없는 것입니다. 하지만 이와 동시에 인간은 지성적 존재이기도 합니다. 지성적 존재에게는 자연법칙에

따른 욕구의 지배에서 벗어날 가능성이 있습니다. 예를 들어 아무리 배가 고파도 남의 것을 빼앗아 먹으면 안 된다는 생각을 한다는 거죠. 강렬한 욕망에도 불구하고 스스로 삶을 통제할 수 있는 것 또한 인간입니다.

배가 고플 때 남의 것을 훔치거나 빼앗아 먹는 것은 자연법칙에 충실한 행위일지 모릅니다. 그러나 지성적 존재인 인간이 할 일은 아니라고 여기는 것이 인간의 존엄을 가능하게 하는 도덕성입니다. 자유는 자연의 인과율에서 벗어나 인간의 이상에 따라 형성한 도덕적 원리를 따라 살아갈 때 이루어집니다. 즉 지성적 존재인 인간이 이성에 따라 스스로 부여한 도덕률을 따르는 것이 곧 자유이므로, 결론적으로 자유와 자율은 같다고 보는 것입니다.

하지만 게오르크 헤겔Georg Hegel은 칸트와 달리 자아실현의 자유라는 개념을 주장합니다. 헤겔은 칸트가 인간 삶의 실질적인 내용을 제대로 다루지 못했다고 비판했습니다. 헤겔은 자유가 실제 현실을 살아갈 때 지침이 되어야 한다고 봤습니다. 인간은 사회적 존재이며, 사회 안에서 자아를 실현하며 살아갑니다. 그런데 세계는 나의 자아실현을 허락하지 않고 오히려 제약 요인이 됩니다. 이처럼 나와 세계가 서로 충돌하는 가운데, 우리는 자아 성숙과 더불어 현실의 개선을 동시에 이룰 수 있습니다. 나의 자의적 욕구는 현실에서 용납되지 않기 때문에, 나의 욕구는 다른 사람의 생각과 어울릴 수 있도록 바뀌어야 합니다. 이런 변화를 통해 인간은 이성적인 존재로 탈바꿈하는 것이죠. 한편 현실이 늘 이성적인 건 아니므로, 나의 노력을 통해 현실도 더욱 이성적으로 변할 수 있다는 것입니다.

헤겔은 이런 방식을 통해 세계의 역사가 점점 더 이성적으로 진보하고 있다고 믿었습니다. 그래서 개인은 역사의 한 지점에서 살아가면서도 세계사에 기여할 수 있고, 인간은 이러한 이성적 자아로써 현실 안에서 자아실현을 이룰 수 있다고 여겼습니다. "이성적인 것이 현실적인 것이고, 현실적인 것이 이성적인 것이다." 헤겔이 남긴 이 유명한 명제의 의미가 바로 그것입니다.

계약관계와 자본가의 자유

Q 칸트와 헤겔은 아주 철학적이네요. 그런데 우리에게 자유란 자본주의 발달과 더불어 실제 사회 생활 가운데 개인의 자유를 누리는 의미로 활용되는 것 같습니다. 서양의 경우를 보면 산업혁명이 자본주의의 발달의 변곡점이 되는데 이 시기의

자유 개념은 어떤 것이었나요?

A   근대 유럽에서 산업혁명이 일어난 이후, '자유로운 계약' 혹은 '계약의 자유'라는 개념이 등장하게 됩니다. 하지만 아시다시피 노동 계약을 맺은 관계에서 자본가와 노동자는 당연히 대등하지 않겠죠. 따라서 자유로운 계약이라고 말은 하지만, 갑과 을이 분명한 이런 계약관계에서 실제로 자유를 누리는 쪽은 자본가입니다. 산업혁명에 의해 과거에 봉건제도 아래 농노였던 사람들은 노동자로 유입되었는데요. 이들은 노동자이지만 아직 농노와 같은 의식을 갖고 있어서, 자본가들이 봉건제 영주처럼 자신들 삶의 보호 장치여야 한다고 생각했습니다. 자본주의가 더욱 강화되고, 자본가가 이러한 보호 장치를 더 이상 제공하기를 원하지 않게 되었을 때, 자본가와 노동자 사이에 자유계약이라는 이름의 계약 상황이 형성되었죠. 그러나 실질적으로는 자본가의 자의적 결정이 자유라는 이름으로 잘 포장된 것이었습니다.[36]

이 시기에 형성된 고전적 자유주의에서는 자유란 간섭이나 제약의 부재라고 해석했습니다. 그러니 자유의 증진은 국가의 간섭이나 제약이 없는 상태에서 계약 당사자들의 더 많은 재량권을 의미했죠. 고전적 자유주의자는 자본가와 노동자 사이 관계에 대하여 국가의 강압적 혹은 일방적 간섭을 최소화할 것을 요구하고, 더 많은 탈규제 정책을 주장했습니다. 이때 국가의 간섭과 제약의 부재가 모든 개인의 자유를 허용하는 듯 포장되지만, 실상은 자본가의 이익에만 도움이 됩니다. 우리 시대에서도 자유가 종종 이러한 속뜻을 갖고 사용되기도 합니다.

소극적 자유, 적극적 자유, 비지배 자유

A   영국의 자유주의 정치철학자 이사야 벌린 Isaiah Berlin 은 자유의 개념을 소극적 자유와 적극적 자유, 두 가지로 구분했습니다. 먼저 소극적 자유란 간섭이 없는 상태를 말합니다. 이는 결국 불간섭 자유를 의미하는 것이죠. 그리고 적극적 자유란 헤겔이 말하는 자기 지배 혹은 자아실현을 이룰 수 있는 상태를 의미합니다.

 벌린은 적극적 자유 개념을 위험하다고 봤습니다. 자유가 개인의 자아실현을 의미한다면, 이때의 자아란 현실의 자아가 아니라 '진정한 자아'여야 한다는 것이죠. 여기서 진정한 자아의 개념은 개인이 선택하는 것이 아니라, 다른 어떤 것을 통해 정의됩니다. 따라서 이렇게 이루어지는 자유는 결국 개인의 의지보다 높은 어떤 의지를 구현하는 것이므로, 자유에 강제가 개입된다고 생각했습니다.

그렇기에 벌린은 소극적 자유 개념만을 옹호합니다. 한 사람의 자유가 무제한으로 인정되면 반드시 다른 사람의 자유를 침해하게 됩니다. 그리고 자유의 가치가 무제한으로 인정되면 평등이나 정의, 행복 등의 다른 가치와 충돌할 수밖에 없습니다. 반면 자유에도 결코 침해할 수 없는 최소한의 영역이 존재할 것입니다. 그래서 벌린은 간섭받지 않는 자유라는 소극적 방식으로 규정된 자유만이 받아들여질 수 있다고 여겼습니다.

한편 필립 페팃은 벌린이 구분한 소극적 자유와 적극적 자유 개념으로 설명되지 않는 제3의 자유 개념의 가능성을 발견합니다. 페팃은 간섭의 부재가 아니라, 타인에 의한 지배의 부재라는 비지배 non-domination 자유 개념을 정립합니다.

지배의 대표적인 관계는 주인과 노예의 관계입니다. 주인은 노예에게 지배자로 군림합니다. 그러나 간섭과 지배는 명백히 다릅니다. 예를 들어 연예인을 돕는 매니저는 연예인의 행위를 간섭하지만, 그렇다고 연예인을 지배하는 것은 아닙니다. 매니저의 간섭은 연예인을 위한 것이고, 그런 범위 내에서 정당화됩니다. 이처럼 간섭은 하지만 지배는 하지 않는 비지배 조건에서 자유가 설명될 수 있다는 것이 비지배 자유 개념입니다. 페팃은 비지배적 자유를 공화주의적 자유의 핵심이라고 주장했습니다.

자유주의의 자유와 공화주의의 자유

Q   이렇게 살펴보니, 자유의 개념은 정말 다양하네요. 같은 자유라는 말에도 각기 다른 의미가 있다는 것을 알게 됐습니다.

A   네, 그렇기에 우리 사회에서 '자유'라는 말이 활용될 때, 우리는 그것이 과연 어떤 자유를 의도하는지 명확하게 따져봐야 합니다. 정치 영역에서 활용되는 자유의 개념을 더욱 깊게 살펴볼 필요가 있겠습니다.

Q   그러면 이제 샌델이 말하는 자유 개념에 대해 말씀해 주시겠어요?

A   샌델은 자유주의적 자유와 공화주의적 자유의 개념을 섬세하게 구분하고 있는데요. 이를 통해 독자들이 민주주의를 위해 필요한 자유 개념이 무엇인지 제대로 짚어보기를 원합니다. 이것은 나

중에 출간한 『당신이 모르는 민주주의』와도 연결이 됩니다. 샌델은 『정치와 도덕을 말하다』의 제1부에서 오늘날 미국인이 생각하는 자유 개념이 자유주의적 개념이며, 이 개념이 유통된 역사가 그리 길지 않다는 점을 지적합니다.

Q 자유주의와 공화주의에서는 각각 자유를 어떻게 정의하고 있나요?

A 자유주의에서 추구하는 자유는 자신의 목표를 스스로 정할 수 있는 자유입니다. 칸트는 자유를 의지와 연결했는데요. 그는 인간이 스스로 목표를 정하고 자신이 만든 원칙에 따라 행할 수 있는 것이 자유라고 말했습니다. 자유주의에서의 자유란 의지 중심의 개념입니다. 따라서 자유주의적 자유 개념이 정치에 적용될 때, 정부는 시민의 덕성이나 인성을 육성하거나 교화하려 들면 안 됩니다. 정책이나 법률을 통해 '좋은 삶'에 대해 특정 개념을 규정해서도 안 되고, 다만 사람들이 그 안에서 자신의 가치관과 목표를 자유롭게 선택할 수 있는 중립적인 법적 체계를 제공해야 한다는 방식으로 적용됩니다. 전통적인 미국 정치 관점에서 보자면, 이러한 자유 개

념은 지난 반세기 정도에 걸쳐 집중적으로 발전된 것입니다. 우리 한국에서도 이런 자유 개념이 한 편에서 널리 유통되고 있죠.

공화주의에서 자유는 자치 self-government를 의미합니다. 시민들이 공동선 the common good에 대해 고민하도록 해서 스스로 정치 공동체의 운명을 만들어 가도록 합니다. 이를 위해서는 나 자신의 목표 선택에 대한 고민을 넘어 타인에게도 똑같은 권리가 있음을 존중하고, 공적인 일들에 대한 지식을 갖추고 깊이 숙고하면서 전체에 대한 소속감과 책임감을 가지고 공동체와의 도덕적 유대를 갖는 것을 필요로 합니다.[37]

샌델은 자유에 대한 이 두 가지 관점 모두가 미국 역사 전체에 걸쳐 뚜렷하게 나타난다고 말합니다. 그런데 지난 수십 년간 공화주의적 인식은 점차 절차주의적 성격을 가진 자유주의에 자리를 내주고 있다는 것입니다. 자유주의적 자유관은 나름의 장점을 가지고 있습니다. 그러나 그것이 시민들 스스로 주인이 된다는 자치의 이념까지 도달하지 못하기에, 자유주의적 사고의 확산이 곧 현재의 민주주의에 대한 불만을 키우는 원인이 된다고 샌델은 지적하고 있습니다.

미국 역사에서의 자유 관념의 변화

Q 샌델 교수가 미국 역사를 들어 설명을 하는군요. 구체적인 역사 속에서 자유의 관념이 어떤 식으로 변화해 왔는지를요.

A 샌델 교수가 미국인이니 그에게는 당연한 일이겠죠. 우리가 미국 사례를 살펴보는 것은 국가 건설기에서 오늘에 이르기까지 긴 역사를 통해 현실에서 적용되었던 자유 관념을 통해 오늘날 우리의 민주주의에 필요한 자유 개념을 찾아보려는 취지인 것이죠.

샌델 교수는 미국의 국부 중 한 사람인 미국 3대 대통령 토머스 제퍼슨Thomas Jefferson과 관련된 일화를 소개합니다.

건국 초기 미국은 유럽에서 생산된 제품을 수입하여 공산물 수요를 해결했습니다. 그래서 미국에 대규모 제조업을 육성하여 농업 중심 경제를 제조업 중심으로 전환하고 미국 내 공산물 수요를 충족시키는 것이 바람직할 것이라는 주장이 나올 수밖에 없었죠. 그런데 토머스 제퍼슨은 이런 주장에 반대했습니다. 농업 중심의 생활 방식과 제조업에 수반되는 삶의 방식은 다르며, 각각 요구하는 시민의식도 다르다고 인식했기 때문인데요. 농업 중심의 삶은

독립적 성격을 가진 데 반해, 공업 중심의 삶은 자신을 자본에 종속시키면서 아첨과 굴종을 생활화할 것이라는 생각이었죠. 따라서 제퍼슨은 작업장을 미국으로 들여오지 못하게 해서 생활 방식의 변화가 가져올 "도덕적 타락"을 막자고 주장했습니다. 농업 국가로서의 정체성을 유지할 것인가, 제조업을 장려할 것인가에 대해 큰 논쟁이 발생했죠. 하지만 무역 의존성이 국가의 독립성을 해친다는 점이 명백해지자, 결국 제퍼슨은 태도를 바꾸었습니다.

샌델은 제퍼슨이 생활 방식의 변화가 곧 시민의식에 영향을 준다고 생각했던 것, 그리고 이를 기초로 어떤 시민의식이 중요한지 정치적 논쟁의 주제로 삼았다는 것에 주목했습니다. 여기서 핵심은 미국의 자치가 훼손될 가능성, 즉 시민적 자유를 통해 형성되는 민주주의가 경제 환경의 변화로 위협받을 수 있다는 점에 대해 당대 사람들이 깊이 의식했다는 점입니다.

Q 경제가 시민의식에 어떤 영향을 미치는지 고려하는 사고 방식은 한국인으로서 아주 낯설게 느껴지는데요.

A 낯설게 느껴지기는 미국인에게도 마찬가지겠죠. 하지만 이런 생각은 실상 오랜 역사를 가진 것이었습니다.

또 다른 사례도 있습니다. 19세기 말 미국에 대기업이 등장하던 시기의 이야기인데요. 당시 새로이 등장한 대기업의 존재는 시민 자치에 두 가지 방식으로 위협이 되었습니다. 첫째로 대기업에 의해 거대한 권력의 집중이 이루어졌다는 점, 그리고 둘째는 대기업이 국가 경제를 지배하면서 전통적인 자치 중심 지방 공동체의 자율성이 축소되었다는 점입니다.

이러한 변화에 대해 정치권은 경제 권력을 분산시키고 이를 민주적인 통제 아래에 두면서 자치를 보존하려고 했고, 다른 한편으로는 경제 권력의 집중이 대세임을 인정하면서 민주제도의 권한을 확대하여 대기업을 통제할 수 있는 길을 모색했습니다. 이러한 정치권 내 입장의 차이는 1912년 대통령 선거에서 확연하게 드러나게 됩니다. 당시 공화당의 윌리엄 하워드 태프트 William Howard Taft 대통령이 계속해서 대기업에 우호적인 정책을 펴자, 이에 반발한 시어도어 루스벨트 Theodore Roosevelt는 진보당을 만들어 다시 대통령 선거에 출마했습니다. 루스벨트는 거대기업을 통제하기 위해 연방정부를 기업 권력에 필적하는 수준으로 성장시키려 했죠.

루스벨트와 제퍼슨의 노선은 다르지만, 둘 다 당대 경제정책의 어떤 특성이 시민을 형성하는지 우려한 점에서 비슷한 부분도 있었습니다. 양자 모두 경제구조에 관해 고심했고, 경제 권력의 집중으로부터 어떻게 민주 정부를 보호할 수 있을지 논의했거든요.

그러던 중 20세기 초, 경제 대공황이 발생하게 됩니다. 프랭클린 D. 루스벨트 Franklin D. Roosevelt 대통령은 이에 대응하여 뉴딜 정책을 시행했습니다.

반독점주의적 정책과 계획경제 정책 등을 골고루 시험한 것이죠.

20세기 초의
경제 대공황

루스벨트의
뉴딜 정책

결국 정부지출의 증가에 힘입어 미국 경제의 회복이 이루어졌는데, 여기에 이론을 제공했던 것은 케인스 경제학이었습니다. 케인스 경제학은 정부가 좋은 사회에 관한 다양한 관점 중 하나를 고르지 않고도 경제를 통제할 수 있는 방법을 제시했습니다. 케인스주의자들은 소비자들의 현대적 기호를 수용하고 총수요를 조정함으로써 경제를 규제하려고 했죠. 이후 미국 경제정책의 핵심은 완전고용과 경제성장을 가장 높은 가치로 두었고, 분배적 정의에 대한 논의가 이를 뒤따르는 형국이 되었습니다. 이런 변화에 의해 공화주의적 노선은 소멸하고, 현대화된 자유주의가 등장하게 된 것이죠. 정책 입안자들은 어떤 사회를 지향할 것인가, 어떤 삶이 좋은가에 대한 토론과 합의를 추구하지 않은 채 성장 중심의 경제정책을 추진했습니다. 정부는 그저 절차주의에 입각하여 중립적인 태도를 유지하기만 하면 됐죠. 개인이 자유롭고 독립적인 자아로서 삶의 목표를 스스로 결정하는 자아로 여겨지는 사회가 된 것입니다.

1960년대에 접어들며 미국의 경제 규모는 너무나 커졌습니다. 이제 정치를 통해 경제를 완전히 통제하기는 거의 불가능해졌죠. 미국인들은 번영이라는 꿈에 현혹되어 자유를 새롭게 이해하기에 이르렀습니다. 이들에게 자유란 자신의 집단적 운명을 스스로 통제하는 힘이 아니라, 개인으로서 자신의 가치와 목표를 독립적으로 선택하는 능력의 문제가 됐습니다. 이는 곧 공화주의적 자유의 포기를 의미합니다.

Q 자유주의적 이상이 미국 정치를 지배하게 되었군요.

A 그렇습니다. 이 시기는 미국이 국제정치에서 패권을 장악하던 시기와 맞물려 있기도 한데요. 자신이 선택하지 않은 도덕이나 공동체에 얽매이지 않고, 자유롭고 독립적인 자아 이미지를 갖는 것은 미국인들에게 해방적이고 유쾌한 이상이었습니다. 그러나 베트남

전쟁 패배, 흑인 민권운동, 빈민가 폭등, 대학 내 분규 등의 사건이 일어나 미국의 압도적 패권이 기울자, 선택의 자유라는 이상은 자치를 상실한 현실과 대조되어 사회적으로 힘을 발휘하지 못하게 됩니다. 그리고 절차주의에 함몰된 정부는 무기력한 모습을 보였죠.

1980년대, 정부에 대한 환멸이 강하게 자리한 상황에서 레이건은 가족과 이웃, 종교와 애국심 같은 공통적 가치를 훌륭하게 일깨우고 부추겨 대통령이 되는 데 성공합니다. 그러나 자본 도피의 악영향이나 거대 규모로 조직화한 경제 권력이 시민 권력의 약화를 초래한다는 결과에 대해서는 침묵했습니다. 그는 시장 보수주의적 사고방식으로 국정을 운영했습니다. 그 결과 레이건이 천명한 공동체의 도덕적 의식은 되살아나기는커녕 오히려 크게 훼손되고 말았습니다.

마이클 샌델의 시민적 공화주의

Q 교수님, 그렇다면 샌델은 오늘의 시대에 어떤 자유 개념이 필요하다고 주장하고 있나요?

A   샌델은 미국 역사와 더불어 나타난 자유 개념에 대한 이해를 배경으로, 시민 자치로서의 자유를 다시 살려내려는 공화주의적 시도를 도모합니다.[38] 그는 이러한 시도가 가능한지, 또 과연 타당한지에 대한 답을 내놓습니다. 현대 사회의 규모와 복잡성을 고려할 때 생기는 자치의 현실성 문제, 시민적 덕성의 주입, 특정 국가 이면을 강압할 위험이 없는지에 대한 대답이 필요하기 때문입니다.

샌델은 민주주의의 불만에 대해 개인의 차이를 인정하면서 서로를 연결하는 제도, 즉 "개인들 사이의 거리를 무너뜨려 일치시키는 대신 사람들을 다양한 형태로 모아주는, 즉 그들을 구분하는 동시에 연결할 수 있는 공공제도"를 형성하는 것이 답이라고 생각합니다. 다시 말해 민주주의의 불만에 대해 개인의 차이를 인정하면서 서로를 연결하는 제도를 형성하고자 했던 것이죠. 여기서 말하는 공공제도란 "거주 구역과 학교, 종교, 그리고 도덕적 삶을 유지하게 하는 직업들"을 포함합니다. 지역 공동체적 기관들은 하나의 시민교육 기관이 됩니다. 이를 통해 시민들에게 공적인 일에 참여하는 습관을 반복적으로 가르쳐주지만, 각각의 기관마다 다양성을 갖고 있기 때문에 공공 생활이 획일적인 전체 안으로 녹아들지 못하도록 막아줍니다. 즉 다양한 형태의 지역 공동체가 시민성을 다원적으로 형성시킨다는 것입니다.

Q 만일 정치가 이러한 공화주의적 관점을 무시하고, 절차적 자유주의를 고수한다면 어떤 문제가 생길까요?

A 샌델은 정치가 절차적 자유주의를 고수했을 경우 파생되는 문제에 대하여 『정의란 무엇인가』에서 자유주의를 다루었던 방식과 유사하게 다루고 있는데요. 정치에서 가치 논의가 배제되고 도덕성이 유보된다면, 공공 생활을 통해 개인에게 더 큰 의미를 주는 삶을 추구하려는 노력은 바람직하지 않은 방향으로 나타난다는 것이죠. 미국 내 근본주의적 종교집단이 공개된 광장에서 편협한 도덕주의를 적극적으로 표명한다거나, 공무원의 개인적 악덕에 대한 추문과 물의에 도덕적 에너지가 집중된다거나 하는 현상을 예로 들 수 있습니다. 이런 상황은 도덕적 진공상태를 초래합니다. 오히려 잘못된 도덕주의로 나갈 수 있는 위험 요소가 될 수 있습니다.

샌델은 현대 근본주의 위험에 대한 반응으로 공화주의적 자치나 시민적 덕성의 이념 등이 부활하는 조짐에 주목합니다. 1980년대 이후 보수진영이 사회정책을 다루면서 '시민의식과 도덕성'에 초점을 맞추기 시작했습니다. 보수주의자들은 복지제도에 대해 "수혜자들에게 의존성을 심어주고, 책임 의식을 감소시키며, 완전한 시민의식이 요구하는 독립성을 박탈하기 때문에 이는 자유와 모순된다."고 주장했습니다. 한편 자유주의자들은 "저소득층이 거주하는 도심지에 일자리를 부흥시키는 것은 소득을 증가시킬 뿐만 아니라 인격 형성에도 효과를 발휘한다. 일이라는 것은 가족생활에 있어 규율, 체계, 자부심을 부여하기에 더욱 중요하다."고 주장했죠. 흥미로운 지점은 서로 다른 목표에 대해 주장하면서도 모두 공화주의적 이념을 근거로 삼고 있다는 것인데요. 샌델은 이런 현상에 대해 미국 정치인들이 현대 자유주의의 한계를 깨달은 와중에, 그동안 잊었던 공화주의의 중요성을 다시 의식하게 되면서 발생했다고 분석합니다.

Q 사람들을 모으는 공공제도를 형성하는 것이 진짜 공화주의의 전통을 이어가는 것이라는 게 샌델의 주장이라는 것이죠? 1980년대의 보수주의의 주장은 공화주의라는 단어만 활용하고 있는 것이고요?

A 바로 그렇습니다. 말씀하신 것처럼 샌델은 다양한 공동체와 정치기구의 역할을 기대하고 있습니다. 하지만 주권을 범국가적으로 확산하여 글로벌 경제 권력에 대응하는 정치기구를 만드는 것만이 능사는 아닙니다. 주권을 국가 조직의 위아래 양쪽 모두로 분산시키는 정치여야만 글로벌 시장 세력과 경쟁할 힘을 가질 수 있고 또 공공생활이 요구하는 다양성을 살릴 수 있을 것이라 봅니다.

그동안 민주주의에 대한 불만을 잠재울 수 없었던 이유는 무엇에 있을까요? 경제 권력이 강화되며 더욱 큰 정치적 힘을 갖게 되자, 큰 정부 만들기나 연방 권력 약화 모두가 국민적 정체성을 확립하는 것에는 실패했기 때문입니다. 샌델은 우리가 살고 있는 특정 공동체 안에서 생명력을 가진 시민 생활이 부활하는 것이 민주주의의 기초라고 생각합니다. 이를 통해서만 '다중적으로 부담을 지는 자아로서 생각하며 활동하는 시민들'이 형성되기 때문입니다.

샌델의 시민적 자유주의는 시민에게 희망을 걸고 있습니다. 그리고 여러 민주적 공동체에서의 활동이 겹치며 시민들의 자치 역량을 키웁니다. 글로벌 경제를 포함한 이 시대 문제를 해결하는 길은 정치밖에 없습니다. 자유는 시민의 정치적 인식 훈련, 즉 시민의 덕성을 통해 자치라는 열매를 맺을 것입니다.

자유적
공동체주의

Q 교수님은 앞에서 샌델을 공동체주의자라고 부르는 것이 오해라고 하셨었죠?

A 그렇습니다. 사실 공동체주의라는 명칭이 그런 오해를 만드는 원인이 되었습니다. 문제는 공동체 개념의 스펙트럼이 너무 넓어서, 샌델이 속하기를 원하지 않는 유형의 공동체주의까지 포괄하는 데 있었습니다. 샌델은 전통과 관습을 옳음 혹은 인권보다 우선시하는 유형의 공동체주의에는 속할 수 없기 때문이죠.

Q　그러면 샌델의 공동체주의는 어떤 성격의 공동체주의인
가요?

공동체

A　샌델은 1982년 『정의의 한계』 초판을 출간했습니다. 여기서
롤스의 자유주의에 대한 이론적 비판을 전개했죠. 그래서 이후 샌
델은 자유주의에 대항하는 이론적 전선에 이름을 올리게 되었는데,
그 전선에는 '공동체주의communitarianism'라는 이름이 붙어 있었죠.

공동체의 가치가 개인 및 보편적 가치에 우선한다는 생각은 개인주의 입장에서 자유주의적 관점을 가진 학자들에게 비판을 받았습니다. 이런 사상가로는 존 롤스, 로널드 드워킨Ronald Myles Dworkin, 브루스 애커만Bruce Ackerman, 로버트 노직 등이 두루 포함되죠. 샌델은 자유주의에 대해 비판하며 공동체를 강조하지만, 방금 말한 유형의 공동체주의에는 속하지 않습니다. 샌델과 유사한 입장을 가진 이들로는 그의 스승인 찰스 테일러와 마이클 왈처, 로버트 벨라Robert Bellah[39]등이 있습니다.

Q 공동체를 강조하고 있긴 하지만 공동체주의자라고 할 수는 없고, 그렇다고 샌델을 자유주의자라고 하기도 어려울 것 같은데요.

A 공동체란 시민권, 계급, 인종적 혈통, 문화적 정체성 등을 중심으로 하나의 연대를 이룬 집단을 말합니다. 그래서 공동체 개념에는 연대성, 민족성, 언어, 정체성, 문화, 종교, 역사, 생활 방식 등이 따라 나오죠. 바로 이 지점에서 공동체 개념이 정치와 결합할 때 큰 우려를 낳게 됩니다. 자유주의자들은 공동체가 이념의 중심이

될 경우 파시즘, 인종주의, 전체주의로 나아갈 수 있다는 점을 우려했거든요.[40] 그들에게 공동체란 자유와 평등의 원리를 이룬 사회에서 형성될 수 있는 결과물로서만 의미가 있으니까요.

전통 사회가 관습적 가치를 통해 개인의 자유를 제약해 온 경험을 고려해 보면, 우리는 자유주의자들의 이런 염려를 쉽게 이해할 수 있습니다. 공동체주의는 자기 공동체의 가치를 가장 중심에 놓으니까요. 결국 샌델은 공동체주의와 이를 비판하는 자유주의의 중간 위치에 서 있다고 봐야 하겠습니다.

2005년 한국에서의 샌델

A   인터뷰 맨 첫 부분에서 말씀드렸던 것처럼, 2005년 샌델 교수가 한국을 처음 방문했을 때 그가 한 연속 강연의 전체 제목은 '자유주의와 공동체주의: 민주주의, 공동체, 그리고 가치 있는 삶'이었습니다. 제목에 자유주의와 공동체주의가 대립적으로 묘사되어 있었는데, 이 제목의 전제는 롤스의 자유주의와 샌델의 공동체주의를 대립시키는 것이었죠. 샌델 교수는 이 제목을 그리 좋아하지 않았습니다. 자유주의와 공동체주의를 이분법적으로 구분하는 데

다, 샌델을 공동체주의에 포진시키는 듯한 느낌이었기 때문이죠.

이 연속 강연은 2008년에 『공동체주의와 공공성』이라는 제목의 책으로 출간되었습니다. 이 책의 서문을 따로 요청해서 받았는데, 여기에서 샌델은 다음과 같이 말합니다.

> 현대 정치철학에서는 나의 견해에 종종 '공동체주의자'라는 딱지가 붙는다. 이 딱지는 어느 정도는 맞다. 적어도 내가 자유주의적 개인주의를 비판한다는 점에서는 옳다. 사회적 연대를 침식시키고 우리를 공공선에서 멀어지게 하는, 자유주의적 개인주의가 자유에 대한 소비주의적 이해로 나아간다는 점에 대해서 비판하고 있으니 말이다. 하지만 나는 공동체주의자라는 딱지에 대해 항상 불편하게 느껴왔다. 그 이유는 공동체주의자라는 표현이 종종 내가 거부하는 견해를 가리키는 데 사용되기 때문이다. 내가 거부하는 견해란, 다수의 가치(혹은 편견)가 항상 지배적이어야 한다거나, 정의란 어느 특정한 시대에 어느 특정한 사회에서 우연히 지배적이었던 관습과 관행에 의해 정의되어야 한다는 것을 말한다.[41]

한국의 대중들이 샌델을 처음 접한 것은 바로 이 강연 때 이루어진 기자들과의 대화를 통해서, 즉 신문 기사를 통해서였습니다. 저는 당시 프레스 인터뷰 통역을 맡았는데, 마치 과거 사건의 데자뷔 같은 흥미로운 경험을 했습니다. 샌델에 앞서 2002년에 한국철학회는 찰스 테일러를 초청하여 연속 강연을 했었고 그때도 프레스 인터뷰 통역을 제가 맡았었는데, 찰스 테일러에게 나왔던 첫 질문과 똑같은 질문이 샌델에게도 나왔던 것입니다. "공동체주의자인 당신은 이 문제에 대해 어떻게 생각하십니까?" 거기에 대한 두 사람의 대답도 완전히 같았습니다. "저는 공동체주의자가 아닙니다. (그리고 침묵)" 기자들은 당황했고, 혼란에 빠진 현장도 잠시 침묵에 빠졌습니다. 통역을 맡았던 저는 어색하게 흐르는 정적을 서둘러 끝내기 위해 테일러와 샌델이 어째서 공동체주의자로 불리길 거부하는지 설명해야 했습니다. 그리고 나서야 인터뷰를 계속 이어갈 수 있었죠.

　2005년의 모든 강연이 끝난 후에 이루어진 전주 한옥마을에서의 인터뷰에서 그의 정확한 입장을 물어보았습니다. 그는 이렇게 답했습니다.

저는 찰스 테일러나 마이클 왈처와 마찬가지로 저를 공동체주의자라고 부르기를 꺼립니다. 일반적으로 공동체주의란 오직 자기 나라나 민족만을 중심으로 생각하는 방식이라고 정의 내립니다. 그래서 다른 공동체가 가진 도덕적, 정치적 주장에 대해 무시하는 경향이 있죠. 저는 이런 입장에 대해 반대합니다. 이런 점에서 저는 공동체주의자가 아닙니다. 관습과 전통의 가치는 시험의 대상이 되어야 합니다. 민족주의적 공동체주의의 협소함 때문에 순수보편주의가 대안으로 제시되기도 합니다. 이 입장에 따르면 특정한 정체성이나 전통을 전적으로 무시하고 지구적 관점에서 세계시민적 태도를 가질 것을 요구합니다. 하지만 이 또한 적절한 대안이 될 수가 없다고 봅니다. 저는 자유주의는 많은 점에서 오류에 빠져 있다고 생각합니다. 물론 지구적 관점에서의 윤리 교육은 필요합니다. 그러나 그와 동시에 자신이 속한 특정 정체성의 발현과 존중이 함께 이루어져야 합니다.[42]

자유적 공동체주의의 특징

Q 교수님 말씀을 쭉 들으니 이제서야 샌델의 관점을 '자유적 공동체주의'라고 표현하는 것이 이해가 됩니다. 자유적 공동체주의에 대해 조금 더 설명해주실 수 있을까요?

A 샌델의 자유적 공동체주의의 특징을 크게 두 가지로 정리하고 싶습니다. 첫째, 정의와 좋음은 서로 연결됩니다. 인간은 근원적으로 선에 대한 자신의 이해에 영향을 받는 존재입니다. 그래서 옳고 정의로운지를 따질 때 이미 개인이 가진 좋음에 대한 생각이 영향을 미칠 수밖에 없습니다. 자유주의자가 말하는 대로 좋은 삶의 개념을 가정하지 않고 정의를 다루기란 불가능한 거죠. 이런 이유에서 샌델은 사회의 기본 구조를 규제하는 정의 원칙은 서로 대립적인 시민의 도덕적, 종교적 확신과 무관하게 중립을 지키며 존재하

거나 정당화될 수가 없다고 주장합니다.

　반면 전통적 공동체주의는 "정의 원칙의 도덕적 힘은 특정 공동체 혹은 전통에서 채택된, 폭넓게 공유된 가치에서 나온다."라고 생각합니다. 이 말은 정의란 공동체가 받아들일 때만 정의가 될 수 있으며, 공동체 전통에 이미 함축되어 있었으나 명시적으로 드러나지 않았던 것을 드러내는 방식으로 호소할 수 있을 때에만 정당화가 이루어진다는 말입니다. 샌델은 전통적 공동체주의의 이런 생각에 반대합니다. 자유적 공동체주의의 정의 및 권리의 정당성은 그것이 지향하는 목적의 도덕성에 달려 있다고 여기니까요. 즉, 목적에 대한 실질적인 도덕적 판단에 따라 정의와 권리가 정당화된다는 의미입니다.

　둘째, 개인은 자신이 속한 공동체 구성원이 공유한 역사적 기억 historically burdened memory 을 함께 가지고 있고, 그 기억은 언어를 통해 형성된 정체성 속에 녹아 들어 있습니다. 언어를 사용하지 않고 사유하는 것은 불가능합니다. 우리의 사유는 가치, 역사, 전통 등이 배어 있는 상태에서 이루어집니다. 따라서 자기성찰을 통해 사유를 완전히 교정하는 것은 해석학적으로 볼 때 불가능합니다. 전통으로부터 자유롭게 생각할 수 있고 선택할 수 있다는 '부담을 지지 않는 자아'는 실제로 가능하지 않은 것이죠. 물론 논리적이고 반성적인 사유를 통해 전통을 성찰할 수는 있습니다. 하지만 공동체의 가치, 역사, 전통 등에서 완벽하게 자유로운 상태에서 완전한 선택의 자유를 누리는 것은 불가능합니다.[43]

샌델은 완전한 선택의 자유가 불가능하다는 점에서 자유주의의 한계를 지적하지만, 이성이 전통에 대해 제기하는 자유와 평등의 권리 주장에 대해서는 보편적 가치를 인정합니다. 이러한 인정은 공동체주의자들에게서 기대할 수 없는 것이죠.

우리나라처럼 전통이 강한 나라에서는 공동체주의가 지역주의나 학벌주의 형태로 나타납니다. 공동체 내부의 연고성이 보편적 가치 구현에 장애 요인으로 작용할 수 있는 것이죠. 이 지적에 대해 샌델은 인터뷰에서 다음과 같이 답했습니다.

저는 자유주의를 비판하면서 그것에 전제된 무연고적 자아 개념을 비판했습니다. 한국의 경우 전통이 강한 사회이고 오히려 연고성이 더욱 문제가 되고 있다고 생각할 수 있습니다. 이러한 문제점을 극복하기 위해 한국의 학자들이 자유주의적 전통에 힘입어 절차적 정의를 갖춘 제도를 옹호하고 이를 위해 노력해 왔다는 사실을 이번 여행을 통해 배웠죠. 저의 연구는 미국 사회를 배경으로 삼기 때문에, 미국 내 자유주의적 폐해가 크다는 점에서 연구 방향이 정해졌던 것입니다.

미국 사회는 서양의 특징인 자유민주주의적 특성을 갖고 있습니다. 그런데 여기에 내재한 극단적 개인주의에 반대하는 것이 저의 입장입니다. 시장의 힘은 극대화되었고, 소비주의가 만연하여 마치 모든 것이 개인의 선택에 놓여 있는 것처럼 되었습니다. 그런 점에서 한국에서 활동하는 자유주의자들의 노력과 미국에서 활동하는 저의 공동체주의적 노력이 서로 연결될 수 있다고 봅니다. 우리는 서로 같은 목적을 위해 활동하고 있으니까요.

저는 미국의 정치 문화를 반대하는 가운데, 공동체와 시민의 덕, 사회적 통합성, 공통의 이해 등을 강조합니다. 이를 통해 사회적 균형을 얻고자 하는 것이죠. 그런데 제가 세계 여러 나라를 여행하며 느낀 점은, 많은 사회에서 전통적 자아 이해가 너무 강하기 때문에 그와 반대로 나아갈 위험이 있다는 것입니다. 즉 자신이 부정적으로 반응했던 것들을 전적으로 거부하는 경향이 있다는 것이지요. 전통이 강한 이스라엘이나 인도, 일본, 그리고 한국에서 그러한 성향을 보았습니다. 지나친 연고성의 강조가 문제가 된다면 그 연고성에 대해 비판적 반성을 할 수 있어야 합니다. 이를 통해 진정한 공동선을 위한 사회적 방향을 잡을 수 있을 것으로 보입니다.[44]

세 개의 사례

Q   자유주의와 공동체주의, 그리고 자유적 공동체주의. 교수님 그럼 이들 간의 차이가 잘 드러나는 사례가 있을까요? 사례를 본다면 더 확실히 구분할 수 있을 것 같습니다.

A   샌델 교수가 직접 사용한 사례를 말씀드리죠. 그는 『정의의 한계』 2판에 새로운 서문을 덧붙였습니다. 여기서 그는 자신을 공동체주의로 보는 오해를 잠재우기 위한 설명을 제공했는데요. 이 짧은 글의 후반에서 그는 세 가지 사례를 들어 자신의 '자유적 공동체주의'가 자유주의나 공동체주의와 어떻게 차별화되는지 명료하게 보여주고 있습니다.[45] 다음은 이 내용을 정리한 것입니다.

참고자료:
세 사례

1. 종교적 자유의 권리: 자유로운 종교 활동은 왜 보호되어야 하는가?

자유주의: 개인의 자율이 보장되어야 하며, 개인은 자신을 위해 가치 있는 것을 선택할 수 있어야 한다. 개인의 인격을 존중한다는 것은, 종교 자체에 대한 존중보다 종교를 갖는 자아에 대한 존중이 우선한다는 것을 의미한다. 개인의 종교적 믿음이 존중을 받는 것은 그 내용 때문이 아니라, 그 믿음이 자유롭게 자발적으로 선택되었기 때문이다. 따라서 자유주의는 종교 자체의 도덕적 중요성에 관해서는 판단하지 않은 채 종교적 자유의 권리를 확보하려 한다.

자유적 공동체주의: 자유주의적 태도는 종교적 신앙의 본질을 잘못 이해하고 있다. 종교적 신앙을 존중하는 것은 종교에 좋은 품성을 증진하고 좋은 시민을 만드는 경향이

있기 때문이다. 개인이 선택하는 다양한 관심사와 종교적 신앙을 동일시할 수 없다. 선택만을 강조하면 양심의 자유와 단순한 선호를 구분할 수 없게 된다. 종교적 자유라는 권리의 정당화에는 그 권리의 대상에 관한 판단이 필요하다. 그 권리를 옹호하려면, 그 권리가 보호하는 관행의 도덕적 가치에 대한 실질적 판단을 내리지 않을 수 없다. 그래서 사회적 해악을 끼치는 유사 종교집단에 대해 국가는 제약을 가하는 것이 헌법에 부합한다.

2. 자유롭게 말할 권리: 홀로코스트 생존자들이 살아가는 마을인 미국 일리노이주 스코키 마을에 신(新)나치주의자들이 행진하겠다고 한다. 백인 우월주의자들이 인종차별적 견해를 밝힐 수 있도록 그 행진을 허용해야 하는가?

　자유주의: 정부는 시민들의 견해에 중립을 지켜야 한다. 정부는 시위의 시간과 장소, 방법 등을 규제할 수 있지만, 그 내용을 규제할 수는 없다. 인종차별적 견해라고 해도 그것을 금지하는 일은 시민의 권리를 훼손하는 일이다. 인간의 존엄성은 개인의 사회적 역할에 있지 않고, 자신의 역할과 정체성을 스스로 선택할 수 있는 능력에 달려 있다. 타인에게 해를 끼치는 것은 금해야 하지만, 증오 연설 자체가 해악인 것은 아니다. 다만, 그 연설이 단순한 말의 표현을

넘어서 물리적인 해악을 선동할 가능성이 농후할 때는 그 연설을 제약할 수 있다.

공동체주의: 자유주의가 말하는 해악 개념은 지나치게 협소하다. 자신이 속한 종교집단이나 민족 집단에 대한 모욕은 실제적 손해를 끼치는 해악일 수 있다. 홀로코스트 생존자들에게 신나치주의자들의 행진은 말할 수 없는 공포와 두려움의 기억을 불러일으킨다. 표현의 자유도 중요하지만, 더 중요한 것은 연설의 도덕성이다. 본 사례의 경우, 증오 연설은 마을 시민들의 정체성의 도덕적 위상을 훼손한다. 따라서 스코키 마을에서 신나치주의자의 행진은 금지되어야 한다.

자유적 공동체주의: 이 경우 샌델의 논리와 결론은 공동체주의와 같다.

3. 마틴 루터 킹 주니어의 민권 행진: 1960년대 미국 남부의 분리주의자들은 마틴 루터 킹 주니어 목사 일행이 자신의 공동체에서 흑인 민권운동을 위해 행진하는 것을 원하지 않았다. 앞선 사례의 스코키 마을 주민이 신나치주의자들의 행진을 원하지 않았던 것과 비슷한 상황인데, 이 경우 어떻게 해야 하는가?

자유주의: 모든 개인은 자유롭게 말할 권리가 있으므로,

행진을 허용해야 한다.

　공동체주의: 분리주의자는 자신들의 공동 기억에 대한 침해를 원하지 않으므로, 그 공동체의 가치를 존중하는 것을 우선시해야 한다. 따라서 마틴 루터 킹 주니어 목사 일행의 행진을 막아야 한다.

　자유적 공동체주의: 신나치주의자와 마틴 루터 킹 목사의 차이는 그들이 주장하는 내용에 있다. 그들 각각이 주장하는 대의명분의 본질을 잘 살펴야 한다. 공동체의 도덕적 가치에도 차이가 있다. 홀로코스트 생존자들이 공유하고 있는 기억은 분리주의자들의 유대에서 찾을 수 없는 도덕적 차별성을 지니고 있다. 이 도덕성의 차별화는 우리의 상식과 크게 다르지 않으며, 그러므로 마틴 루터 킹 목사 일행의 행진은 허용되어야 한다.

　스코키 마을에서 신나치주의자의 행진과 마틴 루터 킹 목사 일행의 행진 사례는 형식적으로는 모두 언론 자유에 관한 것이지만, 두 행진이 각각 추구하는 명분과 행진이 이루어질 마을 공동체가 보존하려는 가치에는 명백한 차이가 있습니다. 두 경우에 대한 자유주의와 공동체주의의 입장은 모두 같지만, 샌델의 자유적 공동체주의는 각 경우가 갖는 도덕적 위상이 다르기 때문에 다른 태도를 보입니다. 샌델의 입장이 우리의 상식에도 꼭 들어맞는 듯 보이는 이유입니다.

능력주의:
『공정하다는 착각』

Q   능력주의에 대해서는 샌델 교수께서 Part 1의 인터뷰에서 상세히 다루었죠. 여기서는 어떤 이야기를 더 해주실까요?

A   여기서는 『공정하다는 착각』이 출간된 이후 나타난 능력주의에 대한 오해를 짚어보고, 샌델 교수의 입장을 이해하는 데 도움이 되는 배경적 설명에 집중해 보죠. 그리고 능력주의에 대한 샌델의 핵심 주장을 간략히 설명한 뒤 『당신이 모르는 민주주의』와 연결해 설명해 보겠습니다.

능력과 능력주의 개념

A 능력주의를 주제로 토론할 때, 능력이나 능력주의의 정의를 각기 다르게 생각하고 임하는 경우를 종종 보았습니다. 같은 개념을 다른 뜻으로 이해하며 토론하면 대화는 엇나가기 마련이겠죠. 이런 오해를 방지하기 위해 저는 '능력'이 영어로 무엇인지를 묻고는 합니다. 무엇일까요?

Q 능력, ability 어떨까요.

A 네, 많은 사람들이 talent, ability, potentiality, competence 등으로 답합니다. 이 단어들은 실제로 능력으로 번역되는 것들이죠. 그런데 능력주의가 의미하는 능력은 'merit'입니다. 능력주의, meritocracy는 merit와 지배를 의미하는 kratia를 합성한 단어입니다. 여기서 merit는 누구나 다르게 가진 잠재력이나 재능을 뜻하는 것이 아닙니다. 능력주의에서 말하는 능력이란, 자신의 노력으로 재능과 역량을 일구어 당장 활용 가능한 상태로 만든 것을 의미합니다.

즉 능력merit은 잠재력potentiality이 현실의 실력으로 계발된 것이므로, 이는 시험을 통해 입증할 수 있습니다. 예컨대 아무리 뛰어난 외국어 재능talent이 있어도 훈련을 거치지 않는다면 동시통역 같은 일을 잘 해낼 수 없죠. 능력이 있다는 것은 무언가를 '잘한다'는 뜻입니다. 즉 언어 감각이 뛰어나다고 해도 제대로 훈련되지 않아 동시통역을 잘하지 못한다면 '동시통역 능력이 없다'라고 말할 수 있습니다. 능력이 있는지는 시험을 통해 판별됩니다. 따라서 능력주의 사회는 필수적으로 시험 제도를 요구하게 되죠.

또 다른 오해는, 샌델이 능력을 경시하고 있다는 시선입니다. 샌델은 능력주의를 비판하고 있지만, 그렇다고 능력의 중요성까지 비판하지는 않습니다.

Q 능력주의와 능력을 중요하게 여기는 것은 다르다는 말씀이죠?

A 네, 쉽게 예를 들어 보겠습니다. 샌델은 기회가 있을 때마다 만일 자신이 아프면 유능한 의사를 찾아갈 것이라고 확고하게 말하는데요. 자신도 능력을 중요시하는 사람이라는 뜻이죠. 능력이

존중되는 사회는 발전하고, 그렇지 않은 사회는 발전이 어렵다는 것은 당연합니다. 샌델이 비판하는 것은 '능력주의 사회'이지, '능력을 존중하는 사회'가 아닙니다.

능력주의 사회는 쉽게 말해 인재 채용과 사회 운영 원리에 능력이 유일한 원리로 작용하는 사회를 말합니다. 능력주의 외에는 그 어떤 원리도 존중되지 않는 것이죠. 재능을 키우지 못하는 불리한 여건에 대한 충분한 고려는 없습니다. 능력주의가 제대로 작동하기 위해서는 능력을 평가하는 시험 제도, 그리고 능력에 의해서만 성과를 평가하고 보상하는 제도가 반드시 있어야 합니다.

Q 그렇다면 능력주의 사회로 나아가지 않으면서도 능력을 존중하는 사회는 어떻게 가능할까요?

능력주의와 미국

A 우선 미국의 능력주의에 대해 먼저 알아보는 게 좋겠습니다. 샌델은 『공정하다는 착각』의 머리말에서 2020년 코로나 팬데믹 상황에서 트럼프 행정부가 얼마나 무능했는지 비판하고 있는데요.[46]

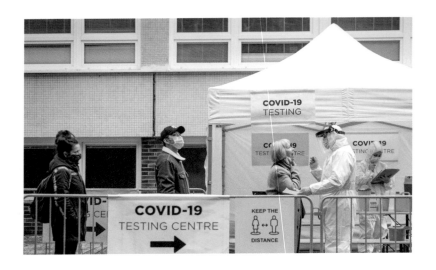

　팬데믹 같은 위기상황을 다루려면 무엇보다도 시민 사이 협력, 즉 사회적 연대가 필요하죠. 그런데 트럼프 대통령은 연대보다는 오히려 분열을 부추겼다는 것입니다. 샌델은 민주주의 선진국인 미국에서 이런 일이 벌어진 이유는 능력주의가 미국 정치의 원리가 되면서 대중이 소외되었기 때문이라고 지적합니다. 소외된 대중이 트럼프의 포퓰리즘적(인기영합주의) 선거 전략에 쉽게 걸려들어 생긴 결과라는 거죠.

사실, 샌델이 『공정하다는 착각』을 구상하고 저술을 시작했던 2018년은 코로나 팬데믹과 아무런 상관이 없었습니다. 책의 본문도 팬데믹과 무관하게 서술되었지만, 마지막으로 쓰는 머리말은 팬데믹이 시작한 이후에 작성되었어요. 머리말과 본문이 아주 잘 어울리기 때문에, 우리는 마치 샌델이 팬데믹으로 인한 미국의 혼란을 보며 책을 썼다고 느끼게 됩니다. 사실상 1980년대부터 미국 사회를 지배하기 시작한 능력주의의 폐해가 결국 코로나19 사태를 기점으로 극단적으로 표출된 것이, 마침 『공정하다는 착각』의 저술 시점과 잘 맞아떨어진 것입니다. 그래서 머리말과 본문이 아주 자연스레 연결되어 읽히죠.

샌델이 보기에, 코로나 팬데믹에 제대로 대처하지 못한 트럼프는 능력주의 시대의 산물입니다. 정부가 무능한 원인도 능력주의가 정부를 지배한 탓이죠. 이 문제의 뿌리를 찾자면 1980년대 초에 대통령직을 수행한 로널드 레이건까지 거슬러 올라가야 합니다. 당시 레이건은 신자유주의를 추종하며 세계화의 물결을 일으켰습니다. 그의 신자유주의 정부는 기술관료주의technocracy를 축으로 행정을 이끌었는데요.[47] 기술관료주의란 정치 각 분야를 해당 분야 전문가로 기용하여, 정치 대신 전문가를 통한 관리 체제로 이끄는 것을 말합니다. 사회적으로는 그런 전문가를 생산하기 위해 학력주의가 요구되었습니다. 하지만 정치를 위해서는 특정 영역의 전문지식이 아니라, 공동선을 지향하는 자세와 상황에 맞는 정확한 판단력이 중요합니다. 그런 점에서 공부 잘하는 전문가로 구성된 정부의 한계가 이 시대에 이르러 명확하게 드러났다는 것입니다.

미국 보수 정권에서 시작한 신자유주의적 세계화는 급격한 사회적 변화를 불러왔는데, 이는 민주당이 집권했던 시기에도 그대로 계승되었습니다. 그리고 세계화의 영향을 받은 서구사회들, 그리고 한국 사회에도 능력주의가 사회의 지배적 원리가 되어버렸죠. 사회는 승자와 패자로 갈리고, 승자는 고액의 연봉을 받으며 그들만의 리그를 열었습니다. 자신과 비슷한 사람들끼리 주거지를 형성하여 살아가며 오만을 키웠습니다. 패자는 패배의 고통을 온전히 자신의 부족함으로 여기며 홀로 심리적 굴욕감을 감내하게 됩니다.

Q   능력주의의 폐해가 점차 강하게 나타나게 된 것이군요.

A   그렇습니다. 트럼프가 2016년 미국 대통령 선거에 당선될 수 있었던 이유도 능력주의와 관련이 있습니다. 트럼프의 당선은 소위

러스트 벨트에서 지지를 얻었던 것이 아주 결정적이었는데요. 이것이 어떻게 가능했던가를 이해하기 위해 저는 2020년에 나온 영화 『힐빌리의 노래』의 도움을 받았습니다. 이 영화를 통해 미국의 몰락한 공업지역을 말하는 러스트 벨트의 환경을 제대로 이해할 수 있었거든요. 『힐빌리의 노래』 영화 배경인 힐빌리는 애팔래치아산맥에 있는 도시로 한때는 잘 나가던 지역이었지만, 자동차 산업을 필두로 미국의 중공업이 몰락하면서 함께 나락에 빠져버린 지역입니다. 이곳의 백인들은 수십 년간 마을을 떠나 대학에 진학한 사람이 한 명도 없을 정도로 깊은 무기력에 젖어 있었습니다. 이런 지역의 노동자들은 과거 민주당을 지지했지만, 2016년에 들어와 순식간에 공화당 지지로 바뀌었습니다. 트럼프를 열렬히 지지하는 지역이 된 것이죠.

패배 의식에 찌들어 열등감 속에서 살아가는 이들에게, 당신이 갖는 열등감은 당연하며 어쩔 수 없다고 말할 수 있는 논리가 바로 능력주의에서 나옵니다. 패자들에게는 대학에 가서 더 공부하고 능력을 갖춰 성공의 기회를 가지라는 충고가 주어졌습니다. 이런 충고는 그들을 한층 굴욕스럽게 할 뿐이었죠. 트럼프는 바로 이런 감정을 이용했습니다.[48]

트럼프는 패배의 원인이 당신들에게 있지 않다고 말합니다. 그 원인은 다른 인종과 이민자들이라고 주장했습니다. 트럼프는 인종주의와 이민자 반대 정서를 부추기며 러스트 벨트의 표를 가져가는 데 성공합니다. 트럼프는 이렇게 패배자의 굴욕을 이용했지만, 정작 그들의 문제를 진정으로 해결하려는 노력은 기울이지 않았습니다.

우리나라에서도 능력주의 문화는 점차 강화되어왔습니다. 대학 교육이 일반화되고는 오늘날의 학벌주의로 나아간 것이 우리나라 능력주의의 한 특징이죠. 능력주의와 기회가 공정하게 주어지는 사회라면 정의로운 사회라고 믿고 있는데, 이런 믿음 자체에 함정이 존재하고 있습니다.

마이클 영의 능력주의

Q　능력주의가 사회를 공정하다고 착각하게 만든다, 『공정하다는 착각』이라는 제목이 그야말로 샌델의 생각을 명확하게 전하네요. '능력주의'라는 말도 샌델이 만든 것인가요?

A 능력주의 meritocracy 는 영국의 학자인 마이클 영 Michael Young 이

만든 말입니다. 이 단어 자체는 일반적 조어법과 달리 라틴어 계열

의 단어인 'merit'을 그리스어 'kratia'와 결합한 것이어서, 당시

사람들에게는 이상한 조어라고 비판을 받았죠. 그러나 오늘날 이

단어는 우리 시대를 규정하는 중요한 단어 중 하나가 되었습니다.

영은 1958년의 미래를 가상하여 『능력주의』[49] 라는 소설을 썼는데

요. 이 책은 본래 논문으로 작성되었지만, 학술성을 인정받지 못해

소설 형태로 출간한 것입니다. 영이 상상한 미래는 2034년입니다.

그가 소설을 쓴 시대로부터는 먼 미래였겠지만, 우리에게는 얼마

남지 않은 가까운 미래이죠.

영은 책을 저술한 1950년대 시점에서 과거에 영국 사회가 능력

주의를 채택하면서 발전했던 점을 살핍니다. 영국은 1870년 초등

교육법을 만들고 그때부터 의무교육을 시행했습니다. 그래서 기존

영국 사회의 인맥 중심의 정실주의 문화가 약해졌는데, 이것이 능

력주의를 통해 사회를 발전시키는 좋은 기회가 되었죠. 과거에는

경쟁시험을 통해 관리를 뽑지 않았지만, 초등교육이 일반화됨에

따라 교육을 받고 능력을 갖춘 이들을 관리로 등용할 수 있었습니

다. 제2차 세계대전 기간에 영국은 군의 효율성을 높이기 위해 IQ

테스트를 거친 뒤 적재적소에 인원을 배치하여 큰 성공을 거두기도 했습니다. 이 또한 능력주의의 좋은 사례이죠.

이런 배경에서 영은 소설적 구상을 전개합니다. 영국 사회가 능력주의로 거둔 성공 사례들을 바탕으로 철저한 능력주의 사회를 만들겠다는 결정을 내렸다고 가정하죠. 강력한 능력주의 원칙을 시행하며 2034년에 다다른 영국은 과연 유토피아가 될까요, 아니면 디스토피아가 될까요.

Q 흥미로운 발상이네요. 소설 속에서 영국은 어떻게 되나요?

A 소설 속에서 영국은 능력주의를 제도화합니다. 그래서 균등한 교육 기회를 주고, 공정한 시험을 치르며, 능력에 따른 보상제도를

철저하게 시행합니다. 부의 대물림을 막기 위해 재산을 후대로 물려주는 것은 엄격하게 금지하죠. 물려받은 유산은 자신의 능력에 의한 수입이 아니니까요. 정부는 교육과 시험의 기회를 충분히 제공하고, 모든 사람의 능력을 빠짐없이 점검하여 사회 적재적소에 배치합니다. 두뇌 능력이 뛰어난 자는 고난도의 자리에, 두뇌보다 육체적 능력을 더 잘 활용하는 사람들은 노동하는 자리에 배치합니다. 일찍 재능을 펼치는 사람도 있지만 다소 늦게 꽃피우는 사람도 있기에, 교육의 기회는 수시로 제공합니다. 교육 기간이 끝나면 시험을 통해 더 좋은 자리로 옮길 수 있는 기회도 주죠.

많은 사람이 일할 수 있는 자리는 낮은 지위가 되고, 능력 있는 소수만 할 수 있는 일은 높은 지위의 일이 됩니다. 그리고 보상은 지위에 따라 차별적으로 주어집니다. 시험을 통해 판별된 지위에 의해 차별화된 보상을 받으며 삶을 살아가게 되면서, 사람들의 삶의 질에 우열이 생겨납니다. 차별화된 보상을 정당화하는 근거는 오직 '능력'뿐이죠. 이때 높은 지위의 사람들이 갖게 되는 우월감과 자만심, 또 낮은 지위의 사람들이 느끼는 열등감과 굴욕감도 능력주의로 정당화됩니다. 승자의 우월감은 당연하며, 패자의 열등감도 당연시됩니다. 모두 주어진 기회를 활용하여 각자 일구어 낸 능력에 따른 것이라는 이유에서입니다.

이런 사회에서 노동 운동도 사라집니다. 노동 운동은 조직력과 협상력이라는 능력을 갖춘 자가 있어야 가능한 일인데, 노동에 종사하는 사람들에게는 그런 능력이 없기 때문입니다. 결국은 노동 운동조차 우월한 지위에 속한 사람의 도움을 받아야만 가능할 정도가 됩니다.

가족 제도는 무시되지 않습니다. 교육학적 연구에 따르면 부모 아래서 교육받은 아이가 고아원에서 잘 양육된 아이보다 훨씬 더 높은 자신감을 가지고 살아간다는 것이 입증되기 때문입니다. 따라서 능력주의 사회에서도 가족 제도는 유지됩니다. 이때 세대 간에 이루어지는 다양한 형태의 지식과 정도의 전수는 불법이 아닙니다. 가족 제도를 유지하는 한, 세대 간에 도움을 주고받는다고 해서 이를 불법이라 할 수는 없겠죠. 자녀에게 유산을 물려주는 것은 불법이지만, 자신의 재산을 써서 값비싸고 좋은 교육의 기회를 제공하는 것은 가능합니다.

결국 능력주의를 철저히 적용할 때, 사회에는 능력을 토대로 하는 엘리트 중심의 새로운 기득권이 형성됩니다. 모두가 골고루 다 잘 될 가능성이 원천적으로 봉쇄되기 때문에, 이에 따른 우월감과 굴욕감으로 갈리는 분열도 피할 수 없습니다. 마이클 영은 능력주의 사회의 미래는 유토피아가 아니라 디스토피아라고 결론 맺습니다.

능력주의의 함정

Q 현실에서도 능력주의 사회의 결말은 결국 디스토피아일까요?

A 능력주의 사회가 디스토피아로 나아갈 수밖에 없는 것은 능력주의 역설이 개입되어 있기 때문입니다. 능력을 중시한 능력주의 사회가 오히려 능력을 배제하는 결과를 낳는다는 역설 말입니다. 능력주의로 무장한 엘리트 계층은 더욱 공고하게 그들의 지위를 지킬 것이고, 어떤 재능은 영영 능력으로 전환될 기회가 주어지지 않을 수도 있습니다. 상상만으로 그러한데, 현실에서는 더 말할 나위가 없겠죠. 마이클 영의 『능력주의』는 가설적 상황을 만들어 소설의 형태로 능력주의 사회의 미래를 그려본 것입니다. 그에 반해 샌델 교수의 『공정하다는 착각』은 가상이 아니라 실제 현실을 중심

으로 능력주의에 대한 문제점을 짚어냅니다.

능력주의에 대한 비판은 "이런 능력주의 사회가 정의로운 사회인가?", "실력대로 보상을 받는 것이 진정으로 정당한 것인가?"를 질문하는 것입니다. 언뜻 보기에 능력주의의 주장은 정당한 듯 보이는데요. 그러나 그 정당성은 자유지상주의에서 주장하는 자유의 개념에 의해서만 정당화될 수 있죠. 샌델은 능력주의에 대해 다음과 같은 세 가지 논점을 제시하고 있습니다.[50]

첫째, 재능은 타고난 것이지만 자신이 노력해서 얻은 결과가 아니며, 부모의 유전자 영향을 받았거나 그저 우연히 소유하게 된 것일 뿐이라는 것입니다. 이를 고려할 때 우연히 주어진 재능을 잘 계발하여 능력을 키웠다고 하더라도, 그것이 온전히 노력의 산물이라고 말할 수는 없겠죠. 그렇다면 능력주의는 공정, 정의의 이념과는 거리가 먼 것입니다.

둘째, 자신이 가꾼 특정한 재능이 특별한 사회적 보상을 받는 경우가 있는데, 이는 그 시대와 사회에 특별한 선호가 있기 때문입니다. 이는 노력만의 문제가 아니라 우연의 문제이죠. 예를 들어, 유명한 축구선수 손흥민이나 농구선수 르브론 제임스가 거액의 연봉을 받을 수 있는 것은, 그들의 재능이 현 사회의 요구와 맞아떨어졌기 때문입니다. 특정 재능이 사회적으로 꽃을 피울 수 있는 것은 사회적 뒷받침이 존재하기 때문이고요. 반면 한국에서는 핸드볼 선수가 아무리 피땀을 흘리며 연습해도 축구나 농구만큼 주목을 받지 못합니다. 이처럼 당대 사회의 선호에 따라 보상에는 큰 차이가 존재하는데, 이는 우연의 요소가 크게 개입한 결과라고 봐야겠지요.

셋째, 나의 재능이 뛰어난 능력으로 형성되기까지, 본인의 노력 외에도 투입된 것이 많다는 점을 알아야 합니다. 예를 들어 뛰어난 학력을 갖추기 위해서는 본인의 노력 외에도 공부에만 전념할 수 있는 물질적 환경이나 사교육 등이 필요하죠. 하지만 어려운 환경에 놓인 학생이라면 아르바이트를 해서 자신을 위한 돈과 가족의 생활비를 벌어야만 합니다. 따라서 내가 갖춘 능력을 오롯이 내 노력의 결과로만 여기거나, 좋은 능력을 갖추지 못했다고 이를 자신의 탓으로 여기는 것은 타당하지 않다고 볼 수 있습니다.

샌델 교수는 내 능력에 따라 내게 주어진 사회적 보상에 대해 내가 온전히 향유할 자격이 있다고 생각하는 것이 잘못임을 일깨웁니다. 그런 보상을 받는 사람은 우월감에 빠질 것이 아니라 마땅히 감사의 마음을 가져야 한다고 말하죠.

능력주의와 능력을 중시한다는 것은 다릅니다. 능력주의란 능력이 하나의 이데올로기적 사회 원리로 작동하는 것입니다. 이에 반해 능력을 중시한다는 것은 다양한 사회 문제를 해결하는 여러 능력에 대한 존중, 각자 소질을 잘 계발하여 다양한 영역에서 능력을 발휘하는 것이 소중하다는 생각까지 포함합니다. 물론 능력은 소중합니다. 하지만 능력만을 중시하고 사회적 결과에만 초점을 맞춘다면, 사회적 효용성과 그에 따른 생산성만을 고려하여 보상과 사회적 인정을 부여한다면 어떻게 될까요? 그런 능력주의 사회의 현실은 능력을 중시하는 사회의 이상과는 반대되는 결과를 낳을 것입니다.

능력주의와 공정, 이 두 가지 이념이 현실이 되면 정의로운 사회가 될 것이라는 믿음은 착각입니다. 공정하다는 착각 말이죠. 이런 사회는 극단적인 감정적 대립뿐만 아니라, 고학력과 저학력의 차이, 명문대와 비명문대의 차이, 고소득 직업과 저소득 직업의 차이 등을 통해 사회를 철저한 차별 구도로 전환합니다. 여기서는 능력이 제대로 인정을 받지 못할 뿐 아니라 사회적 연대도 불가능합니다.

이런 능력주의 사회는 불행한 사회입니다. 여기서 성공하지 못한 것은 언제나 자신의 책임이 됩니다. 사회적 열광을 불러일으키지 못한 것도 본인의 책임, 축구선수가 아니라 핸드볼 선수가 된 것도 본인의 책임이죠. 좋은 학군에서 살지 않고 낙후된 지역에서 가난하게 사는 것도, 이로 인해 공부에 전념하지 못하고 일을 하며 집안의 생계를 도와야 하는 처지에 놓인 것도 모두 본인의 책임입니다. "부모 잘 만난 것도 자기 능력이지." 이런 어처구니없는 말이 나오는 사회가 되어버리는 것이죠.

능력주의와 공정사회

Q   그렇다면 샌델은 능력주의를 어떻게 인식하기를 바랄까요? 우리가 어떻게 생각하는 것이 바람직할까요?

A   샌델은 우리에게 인식의 변화를 요구합니다. 능력주의는 정책의 문제이기에 앞서 철학의 문제입니다. 내가 갖춘 능력, 좋은 보상을 받게 된 나의 실력이 온전한 내 것이 아니라고 생각할 수 있어야 합니다. 내가 받는 좋은 보상에 대해 단순히 '내가 받을만한 자격이 있어서' 받게 된 것이 아님을 인정할 수 있어야 합니다. 이런 인식의 변화는 개인에게 감사하는 마음을 불러일으키고, 나아가 사회의 변화를 가져올 수 있습니다. 승자는 오만에 빠지지 않고 자신의 성공에 도움이 된 어떤 우연, 가족, 사회, 공동체의 이웃 등을 기억할 수 있겠죠? 패자도 실패의 원인을 오롯이 자신에게 씌우지 않아도 됩니다. 패배를 굴욕으로 받아들이지 않을 수 있게 되죠. 이러한 철학의 변화는 여러 측면에서 연쇄적인 인식의 변화를 가져옵니다.

우리는 모든 직업과 일에 대해 존중을 가져야 합니다. 직업과 일은 사회적 필요에 따라 이루어지며, 그것의 사회적 기여에 따른 합당한 존중을 보여야 합니다. 정의는 이러한 기여를 중심으로 생각해야 합니다. 샌델은 이를 '기여적 정의관' the contributive view of justice 이라고 부릅니다.[51] 이 관점은 사회 내 다양한 직종이 서로 관계를 이루어 하나의 사회가 작동하고 있음을 인정하는 것입니다. 다양한 사회적 필요에 따른 활동과 이에 상응하는 존중이 이루어질 때 정의가 이루어집니다. 이렇게 이루어진 정의를 토대로 사회적 연대도 가능해질 것입니다.

코로나 팬데믹 시기에 우리는 택배가 얼마나 중요한지, 간호사의 역할이 얼마나 막중한지 잘 알게 되었습니다. 그들의 중요도는 그들이 받는 급여의 많고 적음에 따라 판단되지 않습니다. 우리의 존중은 그들의 사회적 역할에서 나왔죠. 이런 존중이 사회적 합의로 이어진다면, 그들은 더 인간적인 인정을 받으며 자신의 직업을 수행할 것입니다. 이런 인간적 인정은 급여의 인상뿐만 아니라, 근무 여건 개선 등 제도적 장치의 변화도 가져올 수 있게 됩니다.

사회적으로 긍정적 기여가 있는 모든 직업과 일이 존중받을 때 좋은 민주주의가 작동할 수 있습니다. 투표자 한 사람, 한 사람이 존중받는다면 그들의 위치와 역할에 따라 자신의 의견을 피력하는 것도 존중받을 수 있습니다. 한 사람의 의견이 그들의 사회적 지위와 무관하게 존중되고 주목받을 수 있습니다. 민주주의의 수단인 다수결주의가 민주주의의 문제점으로 여겨지는 이유는, 대중을 숫자로 볼 때가 있기 때문이죠. 종종 다수결주의의 숫자에는 개인의 다양성과 그에 따른 존중이 담겨있지 않을 때가 있습니다. 숫자가 아니라 의식 있는 개인이 민주주의 주체가 되기 위해서는, 이러한 존중과 인식이 필요합니다.

샌델은 민주주의가 '다른 수단에 의한 경제'가 아니라고 강조합니다. 시민이 소비자로서만 중요시되고, 소비자 복지 극대화가 사회적 목표가 된다면 결국 모두가 개인의 이익을 위해서만 노력하게 될 것입니다. 모두가 이익을 위해 경쟁하며 성장의 극대화만 추구한다면 민주주의는 제대로 형성될 수 없습니다. 개인의 다양성을 존중하는 가운데 공동선을 함께 지향할 때, 비로소 제대로 된 민주주의가 올바로 작동합니다.

Q   공동선의 중요성을 말씀해주셨는데요. 공동선이 무엇인가라는 점은 관점에 따라 다르게 볼 수도 있지 않을까요?

A   이 문제와 관련해서 우리가 어떤 관점에서 보고 있는지가 중요

합니다. 소비자주의적 관점에서는 공동선이 개인 선호의 총합을 의미하죠. 이는 효율성과 생산성을 중시하는 경제정책을 통해 확보됩니다. 이런 공동선은 기술관료사회의 경제정책 결정자들이 사용하는 방법이며, 능력주의 사회로 이끌게 됩니다. 이와 구별되는 것이 '시민적 공동선'의 관점입니다.

시민적 공동선은 소비자주의적 공동선 개념을 비판적으로 바라봅니다. 그리고 우리의 관점을 '보람 있고 행복한 삶을 사는 사회'를 향해 고정합니다. 정의와 공동선은 시민이 시민의식을 가지고 논의하며 토론함으로써 가능해집니다. 한 사람의 시민으로서 좋은 사회를 고민할 때, 우리는 우리 사회를 지배하고 있는 능력주의에 대해 깊게 반성하지 않을 수 없습니다.

급속한 성장을 이룬 한국 사회는 세계 어느 나라보다 능력주의에 짙게 물들어 있습니다. 사회적 명성과 부를 자기만의 힘으로 스스로 일구어 낸 성취라고 여기며, 자기보다 가난한 자들을 업신여기고, 지위가 낮거나 자신에게 서비스를 제공하는 사람들에게 존중을 표하지 않고 멸시를 일삼는 사례가 이를 입증합니다. 능력주의의 부작용이죠.

위기의 민주주의:
『당신이 모르는 민주주의』

Q 샌델 교수가 『당신이 모르는 민주주의』를 출간한 것이 2023년이죠. 이 책의 원본인 초판이 출간된 1996년과는 전혀 다른 시대입니다. 1996년은 세계화가 한창 진행되던 때이지만, 지금은 세계화가 더는 진전되지 않고 있는데요. 이 같은 변화가 민주주의에 어떤 영향을 미쳤을까요?

A 샌델 교수는 세계화를 통해 이루어진 일들이 시민과 민주주의 관점에서 봤을 때 문제 상황을 심각하게 만들었다고 진단합니다. 그는 다음과 같이 말하죠.

> 이 책의 초판이 출간된 뒤로 사반세기 이상의 세월이 지났는데, 그동안 민주주의에 대한 불만은 더욱 깊어지기만 했다. 이 불만은 민주주의의 미래가 암울하게 보일 정도로 깊고도 예리하다. 클린턴과 부시, 오바마와 트럼프 시대를 거쳐 코로나 팬데믹으로 이어지는 시대를 다루는 개정판에서 나는 민주주의에 대한 불만이 깊어질 수밖에 없었던 이유를 설명하고자 한다.[52]

샌델이 초판을 썼던 시기는 세계화가 시작되고 이제 막 그 영향력이 나타나던 무렵이었습니다. 세계화의 포문을 연 대통령은 로널드 레이건(1981~1989 재임)이었고, 그의 뒤를 이어 조지 H. W. 부시(1989~1993 재임)가 단임으로 대통령직을 수행했습니다. 그 이후 미국 대통령은 빌 클린턴(1993~2001 재임)이었는데, 샌델은 클린턴 재임 기간인 1996년에 초판본 『민주주의의 불만』을 출간했습니다. 초판본에서 다루었던 것은 1980년대까지의 내용이고, 개정판은 1990년대 이후부터 지금에 이르기까지의 미국을 다루고 있습니다. 클린턴의 뒤를 이어 공화당의 조지 W. 부시(2001~2009 재임)와 민주당의 버락 오바마(2009~2017 재임)가 연임했고, 그 뒤를 이어 문제적 인물인 공화당의 도널드 트럼프(2017~2021 재임)가 단임으로 재임했습니다. 2021년 이후의 현재 미국 대통령은 민주당의 조 바이든입니다.

이 시기 우리나라는 1987년에 전두환(1980~1988 재임)이 대통령직에서 물러나고 선거를 통해 노태우(1988~1993 재임)가 대통령이 되었습니다. 폭력을 통해 권력을 장악했던 전두환은 87년 6월 항쟁을 통해 움켜잡았던 권력을 손에서 내려놓아야 했죠. 전두환은 그의 뒤를 이어 선거를 통해 대통령에 등극한 노태우와 함께 이후 국가 폭력에 대한 책임을 물어 형을 살았습니다. 이후 김영삼(1993~1998 재임)이 대통령이 되면서 많은 민주주의적 개혁을 꾀했으나 1997년 국가 부도 사태를 초래하여 우리나라는 경제적 위기를 겪게 되었습니다. 뒤이어 진보 진영의 대통령 김대중

(1998~2003 재임)과 노무현(2003~2008 재임), 보수 진영의 이명박(2008~2013 재임)과 박근혜(2013~2017 탄핵으로 임기 종료)가 대통령직을 수행했습니다. 그리고 사상 초유의 현직 대통령 탄핵 사태를 거쳐 진보 진영의 문재인(2017~2022)이 뒤이어 대통령직을 수행했으며, 2024년 현재 윤석열이 대통령직을 수행하고 있죠.[53]

이처럼 단순히 대통령 이름만 열거해 보아도 『당신이 모르는 민주주의』의 초판과 재판 기간 사이에 미국뿐 아니라 우리나라의 정치적 변화도 엄청났다는 것을 알 수 있습니다. 미국이 주도한 세계화의 흐름은 우리나라에도 큰 영향을 주었고, 우리는 원하건 원하지 않건 그 흐름에 몸을 실을 수밖에 없었다고 보아야겠죠. 그리고 그 여파를 우리와 미국, 그리고 전 세계가 경험하고 있습니다. 초판과 재판 사이의 25년 동안 위기는 더욱 깊어졌습니다.

민주주의 위기의 원인

Q   민주주의가 이처럼 위기에 처한 원인은 어디에 있을까요?

세계화

A   샌델은 그동안 자본주의가 세계화, 금융화financialization, 능력주의와 상호 강화하면서 새로운 버전의 자본주의가 등장했고 그것이 오늘날 민주주의를 더욱 위기에 빠트리고 있다고 생각하는데요. 각각의 내용을 살펴보겠습니다.

1980년대 말, 동유럽의 공산권 국가는 붕괴했고 뒤이어 소비에트 연방, 즉 소련도 해체되었습니다. 이 사건은 서구 민주주의 국가가 자본주의 체제의 정당성을 확신하는 계기가 되었죠. 이후 자본주의는 사회주의적 장벽이 존재하지 않는 세계에서 거의 유일하게 세력을 발휘하며 세계화의 길로 나아갔습니다. 이제 자유주의 체제 국가의 많은 정치 지도자들은 지역에 얽매이지 않는 정치경제학이 세계시민적 대안이 될 수 있다고 믿었습니다. 국가에 대한 충성보다는 상품과 자본의 자유로운 흐름을 추구하는 변화를 따랐습니다. 그들은 세계화를 계절의 변화처럼 자연스럽고 필연적인 과정으로 여겼습니다.

세계화는 무역이 국경을 넘어 자유롭게 이루어질 뿐만 아니라 자본 또한 자유롭게 이동할 수 있게 했습니다. 세계화는 수입품 관세 철폐, 외국인 투자규제 철폐, 국내 독점 보장제도 철폐, 공기업의 민영화, 자본시장 규제 철폐 등을 요구했습니다. 이런 변화는 누가 이끌었을까요? 샌델은 〈뉴욕타임스〉 칼럼니스트이자 저술가인 토머스 프리드먼Thomas Friedman의 말을 빌어, 변화의 주체가 컴퓨터로 연결된 네트워크에서 주식과 채권과 통화를 거래하는 사람들로, "온라인상의 가축 떼"와 같다고 했습니다. 이들은 눈 깜짝할 사이에 국가와 기업을 오가며 돈을 움직이죠. 이 집단이 등장하여 세력을 발휘하자, 국가는 그들의 호의를 얻으면 집중된 투자를 받을 수 있었고, 만일 요구 사항을 따르지 못하면 신뢰를 잃게 되어 위기를 경험했습니다. 결국 강대국조차 경제에 필요한 투자를 얻기 위해 어떻게든 금융시장의 비위를 맞추어야 하는 일이 일어나게 되었습니다.

샌델은 한 가지 사례를 들어 클린턴 정부의 상황을 설명합니다. 클린턴 대통령의 정치 자문위원들은 경제 활력과 중산층 지원을 위해 경기를 부양하고 공공투자에 힘을 실어야 한다고 조언했습

니다. 그러나 월스트리트와 기득권 정치세력에 속했던 경제 자문 위원들은 정부의 재정적자를 줄여야 한다고 조언했죠. 이는 소비를 억제하고 세금을 올려야 한다는 의미입니다. 그렇게 하면 금융 시장은 신뢰를 얻게 되고, 금리가 낮아져 기업의 투자 활동이 활발해지며, 결과적으로 경제가 한층 효과적으로 부양될 것이라는 것이죠. 클린턴은 민주당 대통령이었지만, 공화주의 노선을 이어가는 경제 자문위원들의 조언을 따랐습니다. 결국 레이건이 구상하고 조지 H. W. 부시가 협상했던 북미자유무역협정이 의회를 통과하도록 밀어붙였습니다.

북미자유무역협정이 체결되면 미국 내 일자리가 줄어들 것이라는 불안감에 미국 노동운동계는 이에 반발했습니다. 하지만 클린턴은 북미자유무역협정을 통해 무역이 늘어나고 새로운 일자리도 수십만 개 만들어질 것이라고 약속했죠. 그러나 실제 결과는 어땠나요? 미국 경제성장에 대한 무역협정의 효과는 미미했습니다. 국민총생산 성장에 대한 효과는 0.1%에 그쳤고, 제조업 일자리는 자동화 여파를 고려한다고 해도 2000년과 2017년 사이 무려 550만 개가 사라졌습니다. 미국 중산층과 노동자층은 저렴한 물가로 인해 소비자로서는 이익을 얻었지만, 일자리는 줄어들고 임금은 늘어나지 않은 상태로 머물게 되었습니다. 무역협정의 긍정적 효과는 다른 곳에서 나타났는데, 주로 기업과 전문직 계층에게 이익이 되는 방향이었습니다.

사회주의 세계의 붕괴 이후 세계화는 더욱 빠르게 이루어졌습니다. 이것이 과연 시민의 삶에 어떤 정치적 의미로 다가왔을까요? 세계화는 특정 경제활동을 글로벌 경쟁에 노출했고, 이 경쟁의 승자가 세계를 통합적으로 이끌고 힘을 얻었습니다. 자유무역협정은 무역에 관한 규제 완화만이 아니라, 협정 국가들의 자본과 금융 관련 정책에 대한 완화를 함께 추구했습니다. 특허와 지적 재산권의 제한적 적용, 미국 금융기업에 대한 개도국 시장 개방, 투자자들의 이익을 위한 금전적 손해배상 청구권 보장 등이 관세 철폐와 함께 이루어졌습니다. 이는 미국의 월스트리트 은행과 투자사가 다른 나라 은행법의 제약을 받지 않고 자본을 빼낼 수 있게 했는데요. 우리나라에서 일어난 론스타의 소송은 바로 이런 토대에서 가능했던 일입니다.

민주당과 공화당 모두 당연하게 여겼던 세계화는 사실상 불가피한 선택이었을까요? 세계화 시대에 권력은 노동자에게서 투자자에게로, 또 국가에서 기업으로 옮겨갔습니다. 이 맥락에는 금융을 세계화하려는 엄청난 노력이 숨어 있었죠. 금융시장 개방과 경제성장 사이의 상관성은 미미하지만, 금융의 세계화와 금융위기 사이에는 강력한 상관성이 존재합니다. 샌델은 자본의 자유로운 흐름이 해당 국가의 자국 경제 통제력을 허약하게 만들고 금융위기를 촉발했다고 지적합니다.

이 지적은 세계화된 금융 패권이 국가 부도 사태의 기저에 깔린 근본적 원인이었음을 의미합니다. 우리나라도 경험했던 소위 'IMF 사태'처럼요. 또한 샌델은 세계화된 금융 때문에 국민소득 중에서 노동자의 몫이 줄어들었고, 자본에 세금을 매기는 일이 점차 어려워지게 되어 노동자와 소비자의 세금 부담이 그만큼 더 늘어났다고 지적합니다. 세계화는 노동자와 중산층의 삶을 더욱 어렵게 만들고 빈부의 격차가 심화하는 세계적 현상을 만든 원인이었던 것입니다.[54]

금융화

Q   결국 세계화 과정은 금융화와 궤적을 함께한 것으로 보입니다. 아니 금융이 세계화를 추동했다고 봐도 과언이 아닐 것 같은데요?

A   기업이 지배하던 경제가 금융이 지배하는 경제로 전환되는 과정에서, 강대국이 아닌 나라들이 자본의 흐름을 규제할 수 없게 된 것은 당연한 결과였습니다. 금융이 단순한 은행업 수준에 머물렀던 1950~1960년대에는 미국 전체 기업 이익에서 금융 부문이 차지하는 비율이 10~15% 정도였습니다. 그런데 1980년대 중반에 이르러 30%로 늘어났고, 2001년에는 40%에 육박하게 되죠. 이는 제조업이 가져가는 이익의 네 배가 넘는 수치입니다. 자동차 회사인 포드는 자동차 판매보다 자동차 구매를 위한 대출상품으로 더 많은 돈을 벌었고, 가전제품으로 유명한 GE는 냉장고 판매보다

신용카드 판매와 기업 인수합병을 통해 더 많은 돈을 벌었습니다.[55]

국내 경제에서 금융 규제를 철폐하여 공기업을 민영화하고 금융 자본이 모든 분야에서 작용하도록 하는 것은, 일부 정치가의 관점에서는 대단히 매력적으로 보일 것입니다. 하지만 샌델은 이것이 결국 심각한 문제를 가져온다고 말합니다. 국가는 주택 문제, 교육 문제, 대중교통 문제 가운데 어디에 더 많은 투자를 해야 하는지, 기술정보 분야나 청정에너지 문제에 어떻게 투자해야 하는지 등 수많은 우선순위를 결정해야 합니다. 이러한 결정을 금융시장에 내맡김으로써 까다로운 판단을 회피할 수 있다는 점은 정치가 입장에서 굉장히 매력적이겠죠. 그렇지만 이는 국가가 마땅히 해야 할 공공선에 대한 고민과 판단을 내던지는 것과 같습니다. 모든 결정을 시장이 자기의 논리대로 결정하게 만드는 결과를 낳게 되겠죠. 결과적으로 금융화를 중심으로 하는 세계화는 빈부의 격차를 더욱 크게 만들고 불평등을 강화합니다. 샌델은 이런 모습을 다음과 같이 쓰고 있습니다.

레이건이 대통령에 당선된 해인 1980년에 주요 기업의 CEO들이 받던 평균 급여는 평균적인 노동자들 급여의 35배나 됐다. 1992년에 클린턴이 기업 임원의 급여를 제한하겠다고 약속하던 당시에는 그 수치가 무려 109배에

달했다. 클린턴의 임기 마지막 해인 2000년이 되면서는 이것이 거의 세 배 넘게 늘어나 366배가 됐다. CEO들은 평균적인 노동자가 1년 일해 버는 돈을 하루 만에 버는 셈이었다.[56]

금융화를 중심으로 한 시장 전환은 클린턴에 이어 오바마도 수용했습니다. 오바마가 대통령이 되기 전인 2008년 미국에서 리먼브라더스 파산으로 시작된 금융 위기는 금융 혁신이 경제를 더 효율적이고 안정적으로 만든다는 믿음을 무너뜨렸습니다. 금융이 미국에 가져온 이 재난적인 위험의 근원은 어디에 있을까요? 이는 금융이 경제 발전에 필수적이긴 하지만, 금융 자체로는 생산적이지 않다는 사실에 있습니다. 금융이 미국 경제를 지배하며 생긴 현상 중 하나가 실물경제에 투자되는 금융 규모가 점점 줄어든다는 것입니다. 반대로 금융에 투자되는 자본은 증가했죠. 그래서 샌델은 금융 공학은 금융 종사자에게는 큰 이익을 안겨줬지만, 경제의 생산성을 높이는 데 있어서는 거의 도움이 되지 않았다고 지적합니다. 금융화된 경제는 주식이나 채권 혹은 부동산 등을 가진 사람들에게는 큰 보상을 안겨주었습니다. 반면 노동자의 수입이 국민소득에서 차지하는 비중은 점차 줄어들게 했죠. 노동자의 임금은 정체되고, 빈부 격차의 불평등은 더욱 심해졌습니다. 그런 와중 오바마는 취임 전 발생한 금융 위기를 극복하는 방안으로 월스트리트 구제금융을 지지하고 자신의 정책으로 삼았습니다. 샌델은 금융이 주도한 자본주의에 대해 '착취적'이라고 말합니다. 변화를 가져올 수 있는 갈림길에서 오바마 자신도 충분한 자각 없이 기존의 착취적인 자본주의를 다시 세우는 선택을 했다고 비판하죠. 오바마는 금융의 힘을 줄이지 않았습니다. 대출금을 갚지 못해 집을 빼앗긴 수백만 명을 도우려고 하지 않았죠. 이러한 문제를 일으킨 책임자들에게 책임을 묻지 않았을 뿐만 아니라, 월스트리트의 임직원에게 큰 보너스를 나누어 주도록 허용했습니다.

결국 오바마는 월스트리트를 구출했지만, 샌델은 그로 인해 받은 정치적 대가가 훨씬 컸다고 평가합니다. 시민적 민주주의의 약속을 배반했고, 양극화된 암울한 정치가 이어졌으며, 그래서 트럼프라는 어두운 선택을 했다는 것입니다.

트럼프와 능력주의

Q   도널드 트럼프가 대통령이 되는 것에 세계화된 금융이 영향을 미쳤다는 말씀인가요?

A 　네. 도널드 트럼프는 부유한 부동산계 거물이자 TV 리얼리티 쇼를 담당했던 셀럽이었습니다. 그런 트럼프가 세계화와 금융화, 능력주의로 무장한 시대로부터 발생한 분노를 포퓰리즘적으로 활용하여 대통령이 되었죠. 오바마의 임기가 끝날 즈음 이루어진 대통령 선거에서 투표 참여자의 75%는 부유한 권력자로부터 나라를 되찾아 줄 정치 지도자를 찾는다고 답했습니다. 그런 희망에 화답할 수 있는 사람으로 트럼프가 선택된 것은 무언가 잘못된 일이었죠.

　포퓰리즘에는 두 개의 노선이 존재합니다. 하나는 대중의 힘으로 엘리트, 불평등, 무책임한 경제 권력에 맞서려는 노선이고, 다른 하나는 대중의 힘을 얻기 위해 혐오와 갈등을 유발하는 노선입니다. 샌델은 트럼프가 이 두 가지 노선을 모두 활용했다고 말합니다. 트럼프는 시민의 열망을 반영하여 경제정책과 세법 개정, 자유무역협정 등에 대한 조치를 약속하죠. 그러나 대통령이 된 이후 월스트리트를 억제하지 않았고, 노동자를 돕는 활동이나 사회 인프라 관련 약속도 지키지 않았습니다. 대신 공화당 기득권층과 선거 기부금을 낸 사람이 좋아할 만한 정책들을 시행했죠. 세금 감면을 시행하기는 했지만, 그에 대한 혜택은 대부분 대기업이나 소득 상위 1% 이상의 부자들에게 돌아갔습니다.

트럼프는 불만에 찬 백인 남성의 인종차별, 성차별, 외국인 혐오를 악용하여 대중을 선동하기도 했습니다. 세계화에서 성공을 이룬 이는 소수이며, 다수의 패배한 자들은 자신의 좌절과 굴욕감이 당연하다고 여기도록 능력주의가 작용합니다. 그래서 금융이 주도한 세계화의 승자들은 사람들이 그들의 성공을 능력주의적 사고방식을 통해 보도록 했습니다. 능력주의가 세계화의 도덕법칙으로 여겨지게 된 것입니다. 패배자들이 가진 좌절과 굴욕감은 이제 사회적 소수자들에게 전가되었습니다. 인종차별, 성차별, 외국인 혐오로 시선을 돌리게 하여 그들의 부정적 감정을 악용했는데, 실제로 이는 꽤 효과적이었습니다.

샌델의 제안

A   결국 오늘날 미국의 문제는 금융화된 세계화의 결과와 그로 인한 불평등을 도덕적으로 정당화하는 능력주의로 인해 포퓰리즘이 득세했다는 데 있다고 정리할 수 있겠습니다. 이는 곧 민주주의 위기로 나타났습니다.

샌델은 급진주의자의 연설처럼 들리는 다음의 정치 연설의 한 단락을 인용합니다.

> 경제적 불평등 앞에서는 우리가 예전에 쟁취했던 정치적 평등은 아무런 의
> 미가 없어졌다. 작은 집단 하나가 다른 사람들의 땅, 다른 사람들의 돈, 다
> 른 사람들의 노동, 심지어 다른 사람들의 목숨까지 거의 완전하게 통제하는
> 권한을 자기 손에 넣었다. (중략) 이와 같은 경제적 폭정에 대항하려면 미
> 국 시민은 오로지 조직화된 정부의 힘에 호소할 수밖에 없었다. 1929년의
> 경제 붕괴는 그것의 정체가 전제정(專制政)임을 명백하게 보여주었다. 그
> 리고 1932년의 대통령 선거는 이 폭정을 끝장내라는 국민의 명령이었다.[57]

아주 급진적으로 들리지만, 이는 프랭클린 루스벨트 대통령 연설
의 일부입니다. 여기서 언급되는 경제와 정치의 관계는 오늘날 우
리에게는 다소 과격하게 들릴 수 있다는 점을 샌델도 인정합니다.

연설 중인
루스벨트 대통령

그러나 시민의식과 정치경제학이 만난다면, 그리고 경제를 국민총생산의 관점이 아닌 자치의 관점에서 본다면 어떨까요? 그래서 민주주의 사회에서 개인이 자신의 운명을 스스로 결정하는 통제력을 가지려면 우리는 어떤 자세를 취해야 할까요? 이 질문에 샌델은 경제적 불평등에 대해 정치적 통제력을 가져야 한다는 경제와 정치의 관계 설정에 관심을 기울여야 한다고 말합니다.

자유주의와 자유지상주의는 공적 토론에서 도덕과 가치에 대한 문제를 배제함으로써 중립을 지키려고 합니다. 그렇다고 해서 도덕적으로 다툼의 여지가 있는 질문을 끝까지 해결하지 않은 채 내버려 두거나, 그대로 남아 있게 되지는 않습니다. 궁극적으로는 부유하고 힘 있는 사람들이 관리하고 지휘하는 시장에서 질문들에 대한 답이 결정되도록 방치하는 결과가 나올 뿐이라는 말입니다.

시장에 맡겨 둠으로써 경제 권력이 모든 것을 결정하게 하는 사회는 어떤 모습이 될까요? 시민들이 주체가 되지 못하고, 자신들에게 가장 좋은 삶이 무엇인지 결정하지 못하며, 불평등이 심화됩니다. 개인이 온전한 인간으로 사는 삶을 살아갈 수도 없죠. 이에 대한 해결책은 자치 self-governing 에 있습니다. 스스로가 자신의 운명을 결정하며 살아가는 사회를 만드는 것이죠. 이것이 바로 민주주의입니다. 민주주의의 위기는 민주주의를 굳건하게 할 수 있는 요소를 확고하게 함으로써 극복 가능한 것이죠. 샌델은 이렇게 말합니다.

> 자치가 원활하게 작동하려면 경제적 강자에게 민주적 책임을 지우는 정치 제도가 마련돼야 한다. 아울러 시민은 자신들이 공동의 사업에 참여한다고 여길 수 있을 정도로 서로에 대한 동일성을 충분히 느껴야 한다.[58]

이 말은 두 가지 주장으로 이루어집니다. 전자의 주장은 경제적 강자의 책임회피를 지적하고, 정치가 그들에게 적절한 책임을 지우도록 작동할 것을 요구합니다. 세계화를 추동하고 불평등을 심화시킨 금융 세력에 대해서도 그들이 행사하는 권력만큼의 책임을 지게 합니다. 불평등을 줄이고 모두가 책임지는 사회를 만들어내는 정치를 이루어야 하죠. 후자는 바로 그런 정치를 만들 수 있는 '연대'라는 힘, 즉 시민이 연대를 형성할 수 있어야 한다는 주장입니다.

앞서 『정의란 무엇인가』는 다양한 도덕적 딜레마 사례를 다루면서, 어떤 상황에서 어떤 원리를 적용할 때 어떤 장단점을 맞게 되는지 따져보는 판단력을 길러주는 책이라고 설명했습니다. 그리고 다양한 원리들이 전제하고 있는 인간상도 살펴보았죠. 샌델은 이 시대에 가장 절실한 자치 문제를 다루면서 이에 필요한 인간상과 자유 개념, 시민의 태도 등을 차근차근 설명했습니다. 그의 정의 담론과 그에 파생하는 이야기를 다루면서, 우리는 우리 자신의 문제를 다룰 수 있는 지혜를 얻고 판단력도 키울 수 있습니다. 샌델이 우리에게 제시하는 길이 바로 이것입니다.

자유적 공동체주의 인간상

Q 샌델이 제시하는 길을 보면 상당히 철학적인 것 같습니다. 가장 근본적으로 인간관의 문제를 다룬다는 점에서 특히 그러한 것 같습니다.

A 그렇습니다. 샌델은 스스로를 철학자, 혹은 정치철학자라고 부릅니다. 가장 현실적인 문제를 해결하려면, 그런 현실 문제의 배경이 되는 기본 전제가 무엇인지를 정확히 알아야 한다는 입장입니다. 그래야만 문제의 해결책이 나온다는 것인데, 이렇게 접근하는 것은 철학적 태도입니다. 눈에 보이는 현실의 배후에서 작용하는 보이지 않는 원리에 대한 탐구, 인간에 대한 근본적 이해, 우리가 사는 세계에 대한 근원적 이해. 샌델은 이런 문제에 집중하죠. 이런 문제들은 아주 근본적인 것인 만큼 샌델은 '거대 문제'라는 표

현을 사용합니다. "우리는 자신을 어떤 존재로 생각하는가?" 이것은 자아관의 문제입니다. 그리고 "우리는 인간을 어떻게 이해함으로써 더 나은 민주주의를 만들 수 있을까?" 이것은 인간관의 문제입니다. 어떤 인간관을 갖는가의 문제는 임의적인 선택의 문제가 아니라, 인간에 대한 올바른 이해의 문제입니다.

자유주의가 전제하는 인간관은 역사와 공동체에서 오는 부담을 지지 않는 자아관입니다. 이러한 인간관으로는 다원성을 가진 현대 사회의 여러 복잡한 문제를 제대로 직면하여 다룰 수 없습니다. 도덕이나 종교 문제를 회피하고 가치의 차원을 다루지 않은 채 중립적인 자세로 공공정책에 임한다면 우리가 맞이할 결과는 단 하나뿐입니다. 시장의 논리가 개입하게 되고, 이에 따라 경제 권력이 우리의 결정권을 대신하여 모든 것을 결정해 버리겠죠.

우리가 공동체와 역사에서 오는 부담을 지고 살아가는 인간이어야만, 민주적 자치를 이룰 연대를 형성할 수 있고, 다양한 관점과 가치관을 직면하면서 공통의 가치 혹은 공동선을 확보할 수 있습니다. 자신에게 소중한 가치가 무엇인지 깊이 인식하고 타인에게도 각자 나름의 소중한 가치가 있음을 진지하게 여길 때, 우리는 다양성을 인정하며 공동선을 형성할 수 있습니다.

샌델은 『정의란 무엇인가』에서 일제강점기 시대에 자행된 위안부 문제를 다룹니다. 일본이 과거사를 제대로 인정하지 않고 있음을 지적하면서, 공개 사과가 중요하다는 것을 이렇게 설명합니다. 부담을 지는 자아라는 개념이 왜 중요한지를 보여주는 이 부분을 직접 인용해 보겠습니다.

> 공개 사과를 정당화하는 주요 근거는 정치 공동체에 의해(혹은 그 이름 아래) 부당하게 고통받은 사람들을 기억하고, 그 부당함이 희생자와 후손에게 미치는 지속적인 영향을 인식하며, 부당 행위를 저지른 사람이나 그것을 막지 못한 사람들의 잘못을 배상해야 한다는 것이다. 공개 행위로서 공식 사과는 과거의 상처를 치유하고 도덕적, 정치적 화해의 기반을 제공하는 데 도움이 될 수 있다. 속죄와 사과의 실질적 표현 수단인 금전적 배상도 비슷한 이유로 정당화될 수 있다. 더불어 희생자와 그 후손에게 미치는 부당 행위의 후유증을 줄이는 데도 도움이 될 수 있다.[59]

공화주의적 자유

Q 샌델이 제안하는 길은 공화주의적 자유의 길이겠군요.

A 네, 우리가 어떤 자유를 생각하고 어떤 자유를 누릴 것을 추구하는지는 결코 가벼운 문제가 아닙니다. 심지어 위정자가 어떤 자

유를 말하고, 우리에게 어떤 자유를 가지도록 유도하는지를 파악하는 것은 우리가 정치적 기만에 빠지지 않기 위해 아주 중요합니다. 우리는 자기 삶의 목적과 가치관을 선택할 자유를 가집니다. 자유주의는 우리의 초점을 개인에게 두도록 하고, 사회가 개인의 선택을 방해하지 않도록 하는 데 주목합니다. 그리고 그런 선택이 마치 중립적인 것처럼 착각하게 하죠. 그렇기에 우리는 무엇인가를 선택을 할 때, 그 선택이 이미 어떤 가치의 영향 아래에서 이루어졌다는 사실에 유의해야 합니다. 나아가 내가 바라고 욕망하는 것들이 광고 효과는 아닌지 반성해야 하며, 중립적으로 보이는 자아가 실은 특정한 가치에 깊이 물들어 있지 않은지를 살펴야 합니다.

자유적 공동체주의 관점은 나의 선택에 깃들어 있는 외적인 요소를 반성하게 합니다. 그리고 공화주의적 관점은 선택의 자유를 넘어, 시민의 자치를 이루는 자유를 고민하게 합니다. 샌델은 자치에 참여한다는 것의 의미를 명확히 설명하는데, 그 부분을 인용해 보겠습니다.

> 어떤 개인이 공동선을 깊이 생각할 수 있으려면 자기의 목적을 선택하고 다른 사람의 권리를 존중하는 데 필요한 능력보다 더 많은 능력을 가지고 있어야 한다. 공적인 일에 대한 지식, 공동체 소속감, 전체를 생각하는 관심, 위태

로운 운명의 공동체에 대한 도덕적 유대감 등이다. 따라서 어떤 시민이 자치에 참여하려면 특정한 인격적 특성이나 시민적 소양(시민적 덕성)을 가지고 있어야 한다. 그러나 이 말은 공화주의 정치가 시민들이 옹호하는 가치관과 목적에 대해 중립적일 수 없다는 뜻이다. 공화주의적 자유관은 자유주의적 자유관과 달리 자치에 필요한 소양과 덕목을 시민에게 적극적으로 심어주는 형성적 정치(formative politics)를 요구한다.[60]

이를 통해 샌델은 시민에게 필요한 의식이 무엇인지를 명료하게 설명하며 정치는 이것을 형성해내는 역할, 즉 형성적 정치가 필요하다고 말합니다. 그저 욕구하고 판단하는 대로 추구하는 자유는 기존 사회질서의 연장에만 이바지할 수 있을 뿐입니다.

우리가 사적인 삶에만 몰입하여 정치적 영역에서 일어나는 일에 무관심할 때, 우리는 정치로부터 오는 위기에 대처할 힘을 잃어버립니다. 그래서 전쟁 같은 위기상황을 속수무책으로 당하게 됩니다. 물론 전쟁이 일어난 국가의 개개인이 자신의 행복을 추구하지 않아서 전쟁의 비극을 경험하게 된 것은 아닙니다. 다만, 그 국가의 시민들이 자신이 속한 정치 공동체의 운명에 대해 충분히 고민했더라면 비극이 일어날 가능성은 적었을 것입니다. 자유주의적 자유는 자신만을 바라보며 개인의 행복에 초점을 두게 합니다. 반면 공동체의 삶과 정치적 운명에 관심을 두는 자유는 정치적 자유이며, 공화주의적 자유입니다.

시민의식의 정치경제학

Q 형성적 정치라는 말이 새롭게 다가옵니다. 정치에게 보다 큰 역할을 요구하는 것 같군요.

A 정치가 경제를 간섭해서는 안 되며, 경제나 금융은 모두 해당 영역의 전문가에 의해 다루어져야 하는 자율적 영역이라는 생각은 너무나 오랫동안 우리를 지배해 온 것처럼 느껴집니다. 그런데 샌

델은 미국의 역사를 되돌아보면서, 정치와 경제의 분리를 주장하는 것과는 사뭇 다른 정치경제학이 미국 초기 역사에서부터 장시간 존재했음을 상세하게 밝히고 있습니다.

앞서 이미 살펴보았듯 토머스 제퍼슨은 사람들의 마음에 공공선이 확립되어야 하며, 공공의 명예와 권력, 영광을 향한 열정이 있어야 한다고 했습니다. 그렇지 않으면 공화주의 정부도, 진정한 자유도 있을 수 없다고 했죠. 그가 미국 내 제조업 육성에 반대했던 이유도 제조업이 민주주의에 필요한 시민적 덕성을 갖추는 데 나쁜 영향을 주는 경제 형태라고 보았기 때문입니다. 임금노동이 확립되었던 19세기에도 임금노동이 노예제처럼 되지 않게 해야 한다는 주장은 지배적이었습니다. 임금노동을 통해 노동자들이 일정 시간 일한 뒤에는 독립적인 사업이 가능할 정도로 충분한 자금을 축적할 수 있도록 임금을 챙겨 주어야 한다는 것이죠. 미국의 경제 환경이 변할 때마다 등장한 이러한 경제 의식은 정치와 경제 사이 관계의 다른 차원을 보여줍니다.

샌델은 Part 1의 인터뷰에서 "경제가 정치로부터 독립할 수 있다"고 생각해서는 안 된다고 말합니다. 그는 "국가들의 경제적 선택은 필연적으로, 그리고 어쩔 수 없이 정치적 상황과 연결된다."[61]는 점을 지적합니다. 금융에 대해서도 시민의식의 통제력이 작용할 수 있는 체제를 만들어야 합니다. 거대 자본은 그것이 갖는 사회적, 정치적 영향력에 걸맞은 책임을 물어야 하죠.

여기서 나아가 정치는 중립적 혹은 경찰 국가적으로 운영되어서는 안 되며, 시민들이 민주주의에 필요한 덕성을 갖출 수 있도록 형성적formative 기능을 해야 합니다. 경제나 금융이 시민의 자치를 침해하지 않아야 하며, 정치는 경제가 시민들이 민주주의에 필요한 덕성을 형성하는 데 도움이 될 수 있도록 필요한 역할을 해야 합니다.

소비자 관점과 시민의 관점

Q 이와 같은 정치에 대한 의식이 시장 중심적인 오늘의 자본주의적 환경과 어떻게 잘 연결될 수 있을지 궁금하네요.

A 샌델 교수는 시장경제가 이루어지는 사회society with market 와 시장사회market society가 완전히 별개의 것이라는 점을 우리가 명백하게 인식할 것을 원합니다. 샌델은 『돈으로 살 수 없는 것들』에서 다양한 사례를 통해 오늘의 자본주의 사회가 점차 시장사회로 전

환되어가고 있음을 보여줍니다.

시장은 자본주의 체제가 아닌 사회에서도 오랫동안 인간의 사회적 삶을 가능하게 만든 제도였습니다. 상품들이 수요와 공급의 균형을 이루며 거래되는 시장. 그래서 어느 사회나 상품으로 거래할 수 있는 것과 그렇지 않은 것은 구별되었으며, 거래할 수 없는 것을 거래하는 경우 사회적 제재나 처벌이 따랐습니다. 예를 들어 매관매직이나 인신매매는 어느 시대나 허용되지 않는 것이 원칙이었죠. 그런데 자본주의가 오늘날과 같이 발달하고 사회에서 형성되는 인간관계의 많은 부분이 상품처럼 거래되면서, 이제는 돈으로 살 수 있는 것과 돈으로 살 수 없는 것의 경계가 모호해질 지경에 이르렀습니다. 시장사회란 모든 것이 상품이 되는 사회를 말합니다. 여기서는 모든 게 시장 논리에 따라 작동하며, 돈으로 살 수 있는 것과 살 수 없는 것의 구분이 없어집니다. 돈으로 살 수 없다고 여겨온 인간의 가치, 사랑, 신뢰, 우정, 충성심 등이 돈으로 거래됨으로써 그 본질이 변합니다. 샌델은 이러한 변질을 '부패corruption'라고 불렀습니다.

샌델은 시장사회와 가까워질수록 우리가 점점 더 완전한 소비자 관점을 취하게 된다는 사실을 지적합니다. 물건을 살 때 가지는 소비자 관점을 공공의 일에 대해서도 적용하기 시작한 것입니다. 소비자 관점을 가지면서 공공의 일은 마치 시장의 문제처럼 변합니다. 공공의 일은 전체의 이익 관점에서만 생각해야 하지만, 이제 그것이 나에게 끼칠 손익만 중요하게 따지게 됩니다. 공공성은 오직 내게 어떤 이익이 되는가에 의해서만 판단하는 경향이 생기는 것입니다. 국가적 사업에 대해서도 내가 낸 세금이 나에게 어떤 이익을 가져오는지의 관점에서만 판단하려 합니다. 이때 우리는 시민citizen의 관점이 아니라 소비자consumer의 관점을 가진 것이라고 봐야 합니다.

공공의 사안에는 소비자가 아닌 시민의 관점이 필요합니다. 시민의 관점은 나의 이익만 우선시하지 않고 모두를 염두에 둔 판단을 요구합니다. 가끔은 내게 아무런 이익을 주지 않거나, 심지어 다소의 불이익을 감수하게도 합니다. 예를 들어 내가 낸 세금이 장애인 복지회관에 쓰이거나, 내가 사는 곳 주변에 장애인 학교를 세우는 정책에 쓰인다면 어떨까요? 이에 대한 답을 통해 우리가 어떤 관점을 가지고 있는지 생각해볼 수 있습니다. 나의 이익에 부합하지 않는다고 판단이 되더라도, 반드시 이루어져야만 하는 일이라면 자신의 이익을 앞세우지 않고 전체를 바라보는 관점에서 판단할 수 있어야 합니다.

　이러한 시민적 관점이어야만 공공선이 가능하게 되며, 시민적 연대도 가능해집니다. 나의 이익만 앞세운다면 이익단체는 만들 수 있을지언정, 시민적 연대는 꿈도 꿀 수 없게 되죠. 정치 공동체가 위기에 처한다면 오직 시민적 연대만이 위기를 극복할 수 있는 힘을 제공합니다. 시민적 연대는 곧 시민의 관점을 갖춘 시민에게서만 나옵니다.

샌델과
우리의 질문

우리는 얼마나 시민으로 살고 있는가?

Q 오늘과 같은 시대에 시민의식을 제대로 갖추며 살아가야한다는 샌델의 주장은 상당한 무게감으로 다가 옵니다. 좋은 시민으로 살아가라는 말씀인 것이죠?

A 제가 샌델에 관한 강의를 할 때 청중에게 종종 던지는 질문입니다. "여러분은 얼마나 시민으로 살아가십니까?" 청중은 "항상"이라고 답하거나, "내가 시민인 것이 당연한데, 그게 무슨 말이냐?"라고 되묻기 마련입니다. 그러면 저는 다시 묻습니다. "여러분은 학생으로, 교사로, 혹은 직장인으로 자신의 시간을 충실히 쓰고 계시죠? 또 부모로서나 자녀로서 또는 형제자매로서 가족들에게

잘하기 위해 노력하며 시간을 쓰실 것입니다. 그런데 좋은 시민이 되기 위해 여러분은 얼마의 시간과 정성을 쓰고 계십니까?"

우리는 센델을 통해 좋은 시민의 의미를 이해할 수 있습니다. 그런데 그런 시민이 되기 위해 우리는 과연 어떤 노력을 기울이고 있을까요? 이 질문이 필요한 이유는, 좋은 시민이 되려는 노력 없이 좋은 공동체가 존재할 수 없기 때문입니다. 우리가 바라는 사회 변화의 동력은 시민에게서 나올 수밖에 없습니다. 그러나 시민이 된다는 것은 더 좋은 사회를 만드는 일 이상의, 보다 더 근본적인 문제와 연관이 됩니다. 샌델은 말합니다.

시민이 된다는 것은 자신이 살아가는 가장 좋은 방식을 고민한다는 것이고 또한 자신을 온전하게 인간적 존재로 만들어 주는 미덕이 무엇인가를 고민한다는 뜻이다.

시민이 된다는 것은 온전한 인간이 되는 길과 연결됩니다. 연고를 소중하게 여기는 자아 개념이 중요하다는 샌델의 말은, 지금의 맥락에서 봤을 때 시민으로서 가져야 할 부담을 온전하게 갖는 것을 의미한다고 볼 수 있습니다. 이를 한마디로 표현하는 말이 바로 '시민의식'입니다.

시민의식 citizenship 이란 시민다움을 말합니다. 시민의식은 우리의 정치를 끊임없이 고민하게 만드는데, 이 또한 우리가 온전히 인간적인 삶을 살아가는 것과 직결됩니다. 고립된 혼자의 삶이나, 타인과 무관하게 나만의 행복을 추구하는 삶은 추구하는 바를 바로 가져다주지 않습니다. 정치는 나를 둘러싼 사회적, 정치적 환경을 규정하는 활동이므로, 좋은 정치에 관해서는 무관심하면서 자신에게만 몰두하는 삶은 급격한 환경 변화에 무력할 수밖에 없습니다. 시민이 된다는 것은 내가 개인으로서 온전한 삶을 살아가는 데 있어 필수적 요소입니다.

마이클 샌델과 우리

Q 이제 마무리할 시간이 되었네요. 샌델이 우리 사회에 정의 열풍을 불러일으킨 2010년 이후, 많은 시간이 흘렀습니다. 벌써 14년이 지났네요. 우리 사회는 더 정의로워졌을까요?

A   이 질문에 "그렇다"라고 답하기는 어렵겠죠. (웃음) 일상의 삶에서 경험하는 정의나 사회적, 정치적, 국제정치적 여건에서의 정의도 그때보다 더 나아진 바가 없어 보입니다. 그러나 그동안 샌델과 더불어 던졌던 무수한 질문과 고민은 나름의 큰 의미가 있었습니다. 실제로 우리는 민주주의 성장을 경험했습니다. 시민의식은 성장했고, 정의에 대한 감수성은 강해졌습니다. 물론 이것이 모두 샌델 덕분이라고 말할 수는 없지만, 적어도 우리가 시대적 과제를 스스로 해결하려 애쓴 덕분임은 분명합니다. 그리고 여기에 샌델의 기여가 없다고 할 수는 없을 것입니다.

지금까지 샌델의 정치철학적 메시지의 큰 줄거리를 살펴보았지만, 이것만으로 샌델의 책을 직접 읽는 것을 대신할 수는 없을 것입니다. 우리의 문제를 더욱 분명하게 보고, 그 안에 내재한 철학적 문제를 예리하게 짚어보기 위해서는 샌델의 책을 직접 찾아 읽는 수고가 필요합니다. 마이클 샌델과 직접적인, 그리고 새로운 대화가 필요한 것이죠. 그가 던졌던 "정의란 무엇인가?"라는 질문에는 새로운 시대 상황에 맞는 우리의 질문이 더해져야 합니다. 샌델처럼 우리도 우리 시대의 문제를 스스로 치열하게 고민해야 합니다. 『당신이 모르는 민주주의』에 이르러 만나게 되는 샌델 주장의 핵심

을 저는 다음과 같은 짧은 두 문장으로 정리하고 싶습니다.

민주주의가 답이다. 그리고 그 열쇠는 시민이다.

Q 이제 인터뷰를 마쳐야 할 때가 된 것 같습니다. 긴 시간 동안 자세한 설명을 통해 샌델 교수의 생각을 더 잘, 그리고 더 구체적으로 이해할 수 있었던 것 같습니다. 또한 교수님의 설명을 통해 우리 사회의 정의의 현주소, 우리 민주주의의 상황,

그리고 이 시대에 우리가 장착해야 할 시민의식의 내용 등을 함께 고민할 수 있었습니다. 긴 인터뷰에 응해 주셔서 진심으로 감사드립니다.

A 고맙습니다.

Part 3.

마이클
샌델과

대화하다

"우리는 어떻게 함께 살아갈 것인가?"
지금 경험하고 있는
민주주의 어두운 시간 가운데서
만날 수 있는 큰 희망은
이런 질문을 던지는 게 아닐까요,
우리가 살아가는 세계를 고쳐갈
가장 큰 희망을 말입니다,

본 대담에서 화자는 김선욱 교수 K, 마이클 샌델 교수 S로 표기하였습니다.

K 안녕하세요. 오랜만에 직접 뵙습니다. 마지막으로 만났던 것이 2018년 2월이었던가요. 그때 제가 한나 아렌트 관련 자료를 찾으러 하버드대학 고등과학도서관을 찾아갔었는데, 저와 아내를 댁으로 초대해서 점심 식사를 대접해 주셨죠. 사모님과 애덤 샌델도 함께 자리해 훌륭한 식사와 더불어 즐거운 대화를 나누었던 기억이 납니다.

S 저도 즐거웠던 그날을 기억합니다. 벌써 6년 전이니, 정말 오랜만에 대면으로 만났네요. 그때 이후로 코로나 팬데믹이 찾아와서 여행이 어려웠죠. 한국에 갈 수도 없었고요. 그렇지만 다행히도 웨비나를 통해 한국의 독자들을 만날 수 있었고, 또 대통령선거 기간에는 정치가들과 몇 차례 흥미로운 대화를 나누기도 했습니다. 김 교수님과는 JTBC의 '차이나는 클라스'를 함께 촬영하기도 했고, 그 외에도 두 차례 웨비나를 통해 대담했죠.

K 네, 제게도 모두 좋은 시간들이었습니다. 이번 역시 교수님과 흥미로운 새 프로젝트를 함께하게 되어 기뻤습니다. 출판사에서 교수님과 출판사가 나눈 인터뷰를 토대로 책을 만들고 싶다고 제게 연락을 주어 이 프로젝트가 시작되었는데요. 교수님께서 직접 저를 추천하셨죠? 여기에 감사드립니다. 시간적으로 볼 때 이 프로젝트는 2년간의 노력의 결실이라고도 하겠습니다. 출판사와 교수님의 대담은 2022년 초에 있었고, 2년이 지난 2024년 4월에 이렇게 책의 결론에 들어갈 대담을 갖게 되었으니까요.[62]

S 제 책이 한국에서 출간되는 동안 꾸준히 감수 혹은 번역을 도와주셔서 고맙습니다. 이번 프로젝트의 결과로 공저 형태의 책이 나오게 되는 것도 감사하게 생각합니다. 또 이렇게 하버드를 찾아주시고 대화를 나누게 되어 기쁘게 생각합니다.

오늘의 민주주의

K　교수님은 Part 1의 대담에서 팬데믹이 드러낸 세계의 불평등한 모습을 잘 말씀해 주셨습니다. 민주주의의 관점에서 이 시대의 모습을 어떻게 보고 계시는지요? 왜 민주주의가 이렇게 어려움을 겪고 있다고 생각하시는지 궁금합니다.

S　전 세계 수많은 나라에서 민주주의의 위기를 겪고 있습니다. 민주적 제도들이 작동하는 방식들을 보면서 많은 시민들이 당황하고 있고요. 공적 담론이란 말에 대해서도 공허함을 느끼고 있죠. 정치 토론을 보면 너무 협소하고 지엽적인 내용을 다루는 탓에 누구도, 그 어떤 영감도 받지 못하는 지경입니다. 거기서의 열정은 서로 팽팽하게 의견 대립하며 다투는 열정밖에 없습니다. 의회에서도, TV 토론에서도 마찬가지죠. 소셜 미디어에서의 상황은 더욱 심각

합니다. 이런 모습은 민주주의에 아무런 도움이 되지 못하는 것 같습니다. 그래서 저는 우리가 한 걸음 뒤로 물러나 지난 수십 년간에 일어났던 일들을 회고하면서, 어떻게 해서 오늘과 같은 상황에 도달하게 되었는가를 생각하게 된 것입니다.

K   이것이 최근에 『당신이 모르는 민주주의』를 출간하게 된 취지라고 생각할 수 있겠네요. 이 책은 제가 감수하면서 꼼꼼히 그 내용을 살펴보았는데, 새롭고 흥미로운 생각거리가 많았습니다. 교수님은 그동안 자본주의가 세계화, 금융화, 능력주의와 상호 강화하면서 새로운 버전의 자본주의로 나타났고, 그것이 오늘의 민주주의를 더욱 위기에 빠트리고 있다고 소개했는데요. 이런 상황은 이제 개발도상국의 지위에서 벗어나 선진국의 반열에 진입하고 있다고 자부하고 있는 우리나라에서도 크게 느낄 수 있는 모습입니다.

S   그렇습니다. 저는 앞의 인터뷰에서 강조했던, 능력주의와 연관하여 민주주의가 처한 문제에 대해 좀 더 말씀드리고 싶습니다. 이전 인터뷰에서 저는 소위 승자와 패자의 분리가 더욱 깊어지는 현상에 대해 분석했는데, 이것이 우리의 정치를 오염시키고 분열을 더욱 가속화한다는 점을 강조하고 싶습니다. 지난 수십 년간 심해진 소득과 부의 불균형과도 연결되죠. 그리고 이것은 불평등의 심화를 동반하는, 성공에 대한 변화된 태도와도 연관됩니다. 성공해서 정상에 도달한 사람은 성공이 자기 노력의 결실이라고 생각하게 되죠. 자신

의 실력 덕이라고 말이죠. 그래서 시장이 보상으로 부여한 모든 것을 자신이 몫으로 가져 가야 마땅하다는, 자신은 그것에 대한 자격이 있다는 생각을 하게 되죠. 뒤처진 자들도 마찬가지로 자신에게 주어진 모든 것은 스스로가 부족했던 탓이라고 받아들이게 됩니다. 전형적인 능력주의에 기반한 생각이죠.

능력주의는 지난 사오십 년간 보아왔던 시장근본주의적 신앙을 배경으로 해서 등장했습니다. 그래서 저는 한편으로는 소득과 부의 불평등을 심화하는 시장에 대한 맹신, 다른 한편으로는 성공을 향한 능력주의적 태도가 다 함께 이 시대에 우리가 경험하고 있는 분노와 당혹감을 유발하였고, 그 결과 민주적 제도와 민주화된 사회의 발전에 강한 위협이 되는 양극화 현상이 발생했다고 생각합니다.

K 민주주의가 제 기능을 하지 못하고 있는 것은 사회의 양극화 현상과도 밀접하게 연결되어 있습니다. 교수님은 이 부분에 대해 방금 말씀하신 능력주의에서 그 원인을 찾으시지만, 양극화는 경제의 문제입니다. 교수님은 민주주의와 경제를 연결하면서 시민의식의 정치경제학이라는 개념을 활용하고 있는데요. 경제와 민주주의가 어떻게 만나야 하는지요?

S 김교수님께서 Part 2에서 『당신이 모르는 민주주의』와 관련하여 이 점을 잘 설명해주셨죠. 거기에 간단히 이렇게 덧붙이고 싶습니다.

시민의식의 정치경제학이란 경제가 단지 우리가 어떻게 경제성장, 즉 GDP를 극대화할 것인가를 질문하는 것을 넘어서서 경제를 생각하는 방식을 말합니다. 경제가 중요한 한 가지 이유는 생산능력을 효율적으로 조직하여 물질적 번영을 이루고 그 번영의 과실을 어떻게 공정하게 나누는가에 있습니다. 그런데 이것이 경제의 유일한 목적은 아닙니다. 경제의 또 다른 중요한 목적은 그것이 자치를 얼마나 가능하게 하는가에 있습니다. 경제정책의 평가는 성장과 분배의 관점에서만 이루어져서는 안 됩니다. 자치의 관점까지 고려되어야 하죠. 경제의 질서와 모습들이 어떤 방식으로 조정되는가의 문제는 민주적 자치와 공존할 수 있는지도 고려해야 하는 것이죠.

예를 들어 19세기 미국에서는 반독점법 문제가 주요 이슈가 된 적이 있습니다. 철도, 은행, 정유회사 등은 경제적 권력을 엄청나게 축적하였는데, 이것은 곧 상당한 정치적 권력을 장악하게 되었다는 의미도 됩니다. 그래서 사람들은 강력하게 집중된 경제 권력이 민주주의를 위협하게 되는 것을 두려워했죠. 강력한 경제 권력은 자칫하면 정치적 의사결정을 지배하고, 시민이 주요 문제에 대해 숙고하거나 독립적으로 결정을 내릴 여지를 두지 않게 된다는 염려 때문이었습니다. 거기에 대한 한 가지 해결책이 반독점법이었습니다.

오늘날에도 반독점법이 여러 나라에 존재하지만, 현재는 주로 소비자적 관점에서 활용됩니다. 주로 소비자에게 어떤 이익과 손해를 끼치는가에 관심을 두죠. 그런데 전통적으로 반독점법은 경제가 민주적 통제를 교란하는 것을 막아 시민의 자치를 유지할 수 있도록 하는데 그 취지가 있었습니다. 요즘은 빅 테크 회사들과 소셜 미디어 회사들이 경제에 막강한 권력을 행사하고 있습니다. 상대적으로 그 시장의 경쟁은 잘 이루어지지 않고 있죠. 저는 이제 이

회사들에 대해 어떤 조치가 이루어져야 한다고 생각합니다. 바이든 행정부도 이 점에 관심이 있으나, 문제는 소비자를 위한 가격 경쟁이라는 관점에서만 접근한다는 것입니다. 시민의 자치라는 관점과는 무관하게 말이죠.

예를 들면, 페이스북은 이용자들이 무료로 이용할 수 있습니다. 그러나 우리가 다 알다시피 페이스북은 민주주의에 대해 심각한 위해를 끼칠 수 있습니다. 정치적 의견을 양극화하고 잘못된 정보를 통해 공적 담론을 오염시키기 때문이죠. 이러한 점에서 저는 반독점 문제에 대해 소비자적 관점이 아니라 시민적 관점을 되살릴 수 있도록 할 필요가 있다고 생각합니다.

K 실제로 경제뿐 아니라 정치의 양극화 문제도 심각합니다. 여기에 대해서는 현대의 변화된 미디어 환경과 새로운 소셜 미디어의 부정적 영향이 아주 크다고 생각됩니다. 여기에도 소비자적 관점이 아니라 시민적 관점이 필요하다고 계속 강조하고 계시죠?

S 네, 그렇습니다. 오늘날 전통 미디어는 민주적 숙고를 위한 기

능을 잘 하지 못하게 되었습니다. 한국의 상황도 다르지 않다고 알고 있지만, 미국의 경우도 마찬가지입니다. 대안적 미디어로 페이스북이나 틱톡과 같은 소셜 미디어가 시민들을 연결하고 결집시키지만, 결국 이것은 양극화라는 결과를 만들고 있습니다. 이렇게 된 가장 큰 원인은 대안적 미디어가 비즈니스 모델을 채용하고 있기 때문입니다. 조회수를 올리기 위해 우리의 관심을 끌어야 하고, 또 우리의 개인정보를 수집하고 성향을 분석해서 개인별로 광고를 타겟화 합니다. 알고리즘을 활용하여 사람들이 더 많이 보고, 또 계속 보도록 만들어야 비즈니스에 도움이 되니까요. 소셜 미디어는 우리에게 정보를 제공하고 깊이 생각하게 만들기보다 분노하게 하고 흥분하게 만듭니다. 이것이 민주주의 환경을 나쁘게 만드는 원인이 됩니다.

저는 소셜 미디어 회사들이 비즈니스 모델을 달리 할 수 있도록 환경을 만들어야 한다고 생각합니다. 수익 창출을 목표로 하는 기업이 스스로 달라지기는 어려울 것이므로, 시민의 정치적 힘을 통해 바꿀 필요가 있다고 말이죠. 실제로 미국에서는 만 16세 이하 청소년에게는 타겟 광고를 하지 못하도록 법적으로 재제하는 것을 고려하고 있습니다. 더 나아가 디지털 온라인 광고를 완전히 없애고 돈을 내고 사용하게 만드는 것도 필요합니다. 소셜 미디어 회사는 반대하겠지만 시민들에게는 이런 변화가 필요합니다. 물론 무료로 사용하다가 요금을 내고 사용하는 것이 소비자 관점에서는 좋지 않겠지만, 시민의식의 관점에서는 생각해 볼 변화이죠. 또 인터넷과 미디어를 공적 토론의 도구로 만드는 적극적 방법도 생각할 필요가 있습니다. 인터넷을 공론장으로 만드는 것, 공적 토론의 플랫폼으로 만드는 것입니다. NGO들이 이런 목적의 활동을 전개할 수 있을 것입니다.

저는 BBC에서 "세계의 철학자 시리즈 Global Philosophers Series"라는 라디오 프로그램을 실험적으로 진행해 보았습니다. 다양한 국가에서 30~40명의 철학 연구자, 교수 등이 참여하여 기후 위기, 평등 문제 등을 토론하였습니다. 김 교수님도 함께 하신 적이 있으셨죠.

K　그렇습니다. 코로나가 한창이었을 때라 아시아, 유럽, 남미 등 여러 지역의 철학 교수와 전공자들 30여 명이 웨비나로 만났었죠. 그때 주제가 "한정된 양의 백신만이 있을 때 어떤 우선순위로 백신을 공급할 것인가"였습니다. 교수님의 주도에 따라 열띤 토론이 전개되었던 것으로 기억합니다.

S　이런 형식은 미디어가 전 세계적 공론장으로서 역할을 할 수 있다는 것을 보여줍니다. 일본의 NHK와 더불어 한중일 3국의 대학생들이 한 자리에 모여 과거사 문제 등과 관련한 주제로 토론을 시도한 적도 있었습니다. 이처럼 미디어를 통해 다양한 형태의 글로벌 공론장을 만드는 것이 가능한 시대가 되었습니다. 이런 기술적인 장점을 활용하여 미디어가 민주주의에 도움을 주고 양극화를 해소할 수 있는 방식으로 변화하게 만드는 것이 필요하다고 생각합니다.

정치가의 자질과 역량

K   소비자적 관점에서 시민적 관점으로의 회복. 이것이 핵심인 것 같습니다. 연관은 되지만 조금 다른 주제로 넘어가 보겠습니다.

교수님께서 『공정하다는 착각』을 출간하신 뒤, 함께 진행했던 대담이 생각납니다. 2020년 12월 1일에 국민권익위원회가 주최한 국제 행사 제19차 국제반부패회의였죠. "포스트 코로나 시대, 정의를 말하다"라는 특별 세션에서 저와 청년 패널단이 질문하고 교수님께서 답하는 방식의 대담이 있었습니다. 바람직한 정치가의 모습 혹은 정치가의 자질이라는 주제로, 좋은 정치가는 전문적인 지식을 가지고 있어야 하는가에 대해 이야기 나누었는데요. 당시 『공정하다는 착각』에서 교수님이 정치가의 학력과 좋은 정치가의 자질은 무관하다고 서술하셨기 때문이었던 것으로 기억합니다. 한국에서는 전통적으로 좋은 교육은 좋은 정치가가 되는데 반드시 필요한 것으로 여겨 왔습니다. 전통적인 유가 사상의 영향 때문이겠죠. 교수님께서 기술관료제를 비판하신 것에 대해 우리와의 문화나 환경 차이가 있기도 하지만, 실제로 정치가의 역량이라는 관점에서 그 질문을 따져보고 싶었기 때문에 마련된 질문이었습니다. 이 질문에 대해 좀 더 정리된 교수님의 입장을 듣고 싶습니다.

S 핵심을 먼저 말씀드리면 이렇습니다. 정치가에게 필요한 역량은 지식과 정책을 연결하는 능력, 그리고 다른 사회적 배경을 가진 사람들의 말을 공감하며 듣는 능력입니다. 정치가는 공적 감성을 갖고 시민들의 다양한 생각을 확인하는 능력을 반드시 가져야 합니다. 시민들이 하는 말을 잘 듣는 능력은 무엇보다도 중요한 능력이죠. 그리고 그렇게 해서 알게 된 것을 숙고하여 전문가적 지식과 연결하는 능력이 필요합니다. 이를 통해 올바른 판단을 내리게 되고, 공동선을 만들어내게 되는 것입니다. 이 같은 능력을 고대 그리스 철학자 아리스토텔레스는 프로네시스(실천적 지혜)라고 불렀습니다.

K 아주 명료합니다. 아리스토텔레스의 길을 따라간 한나 아렌트는 그런 능력에 대해 판단력이라고 불렀습니다. 저는 그 부분을 더 정교하게 다듬어 "정치적 판단력"이라고 개념화해서 소개했죠.[63] 아렌트는 『인간의 조건』에서 정치가의 판단력을 중요하게 다루며 그 조건들을 설명했고, 나중에는 정치가들이 의존할 수밖에 없는 혹은 의존해야만 하는 시민들의 정치적 판단력에 대한 논의로 전환했습니다.[64]

교수님은 『당신이 모르는 민주주의』에서 세계화 이후 시대에 대한 거시적 분석과 더불어 그에 대한 처방적 방향 제시로서 시민의식의 정치경제학과 시민적 공화주의를 주장하셨죠. 정치가의 자질에 대해서는 『공정하다는 착각』에서 다루었고요.

S 그렇습니다. 저는 『공정하다는 착각』에서 능력merit의 중요성과 능력주의의 문제점을 분명히 구분해서 설명했습니다. 그리고 기술관료의 지배와 정치가의 역할도 구분했습니다. 전문가들이 여러 문제에 대해 민주적으로 선출된 정치인들에게 자문하고 또 대중에게 정보를 제공하는 것과 전문가들이 직접 통치 행위를 하는 것은

구분이 되어야 한다는 것이었습니다.

팬데믹 시기에 과학을 따라야 한다는 구호가 나왔죠. 이 구호가 타당한 이유는 보건 전문가들의 말을 경청하는 것은 중요하기 때문입니다. 그들은 백신의 효능이나 바이러스의 전파 경로에 대해 잘 알고 있는 사람들이니까요. 그런데 예를 들어 마스크를 쓰는 것을 강제하는 정책이나 학교 폐쇄 여부의 문제는 단순한 과학의 문제는 아닙니다. 이것은 공동선에 관한 근본적인 정치적 판단이 필요한 문제입니다. 좋은 판단을 내리려면 정치가는 과학자들과 공공정책 전문가들로부터 최고의 자문을 받아야 하지만, 결정은 전문가들이 내리는 것이 아니라 공동선을 고려하여 정치가들이 내려야 합니다. 우리가 올바른 과학적 정보를 가지고 있다면 과학 관련한 정책 판단을 잘 내릴 것이라는 생각은 일종의 기술관료적 환상technocratic fantasy입니다. 그것은 자기 자리를 벗어난 기술관료의 기만technocratic conceit인 것이죠.

정책 결정을 내리는 정치가에게는 도덕적 및 정치적 책임이 따릅니다. 기술관료 혹은 전문가에게는 이 부분이 결여되어 있습니다. 그것은 과학이나 기술의 문제가 아니기 때문이죠. 도덕 및 정치적 책임이 따르는 결정들은 경제와 가족 문제, 또 교육과 국가

의 장래, 즉 공동선의 관점에서 판단되어야 한다는 말의 의미가 이런 것입니다.

> **K** 이 주제를 다루실 때마다 제가 항상 덧붙여 질문을 했던 것이 있습니다. 정치 영역과 관련한 법률전문가의 위상 문제입니다. 공적 영역은 법의 영역이기도 하니까요. 법률전문가는 정치 영역에서도 누구보다 더 유리한 입장에 있다고 말할 수 있지 않을까요?

> **S** 저는 이 점에 대해서도 마찬가지로 생각합니다. 공공정책을 다

루거나 입법 관련 토론을 할 때 제대로 된 법률적 조언을 받는 것은 중요합니다. 공공의료정책에 대해 과학자들로부터 필요한 정보를 얻는 것이 중요하듯 말이죠. 헌법과 관련한 문제가 발생했을 때 변호사나 법률전문가들의 목소리를 듣는 것은 중요합니다. 그렇지만 과학과 기술 전문가의 경우와 마찬가지로, 법률전문가 자체가 시민들 사이에서 이루어져야 하는 민주적 숙고와 토론을 해서는 안 됩니다.

   이것은 특히 우리가 헌법 문제를 다룰 때, 예를 들어 개헌 문제를 다룰 때 더더욱 그렇습니다. 법률전문가들은 조언을 제공하고 대안을 만드는 데 도움을 주어야 합니다. 그러나 민주 시민들은 헌법의 기초가 되는 정신을 다룰 때, 개헌의 방향 혹은 새로운 틀을 다루는 데 필요한 정의의 근본 원리에 대해 숙고하고 토론할 수 있어야만 합니다. 법률전문가의 조언은 헌법과 관련하여 정의에 관한 경쟁적 개념들을 다루면서 거기에 함축된 것을 잘 드러낼 수 있습니다. 이런 조언은 오직 우리 민주 시민들이 그에 관해 결정을 잘 내릴 수 있도록 하는 데 도움이 되기 위한 것이어야 합니다. 법률전문가들이 그 모든 것을 대신해서 결정하도록 내버려 두어서는 안 된다는 것이 제 생각입니다.

과학의 시대,
인문학의 역할

K 끝으로 이 책의 마지막 주제를 다루고자 합니다. 오늘날처럼 새로운 과학의 시대에 인문학의 역할에 관한 것입니다. 교수님은 원래 정치학자나 정치가가 되고 싶었던 것은 아닌지요? 현재 하시는 일은 정치철학을 강의하시니 인문학자로 변모하신 셈이니까요.

S 그렇죠. 저는 대학원 때 정치철학에 매료되며 이 길로 들어섰습니다. 이 부분은 김 교수님이 Part 2에서 언급해 주셨죠. 1975년 옥스퍼드로 대학원 진학을 했는데, 그곳은 워낙 날씨가 춥고 비도 많이 왔습니다. 그래서 친구들과 함께 스페인 남부 지역으로 독서 겸 글쓰기를 위한 여행을 떠났죠. 그때가 1975년 12월이었습니다.

저희가 머물렀던 곳은 코스타 델 솔 Costa del Sol 이라는 작은 마을이 었습니다. 그때까지만 해도 저는 경제학을 공부할지 철학을 공부 할지 결정하지 못해 고민하고 있었습니다.

당시 저는 복지경제에 대한 논문을 준비하고 있었어요. 함께 간 친구는 수리경제학을 전공했고요. 우리 둘은 협력해서 논문의 테크 닉한 측면을 잘 살려보려고 했습니다. 그런데 제 친구는 저와 생활 패턴이 전혀 달랐습니다. 새벽 5시까지 공부하고 아침이면 잠에 들 어서는 대낮까지 깨지 않았어요. 그 지역에는 식당이 하나밖에 없 었는데, 그 친구 때문에 우리는 식당이 브레이크 타임을 갖기 전에 점심을 먹으려고 종종 달음질쳐 가곤 했습니다.

그 친구의 남다른 생활 습관 때문에 저는 오전에 철학책을 마음 껏 읽을 수 있는 자유를 얻었습니다. 코스타 델 솔에서 보낸 몇 주 간 동안 저는 칸트의 『순수이성비판』과 존 롤스의 『정의론』, 그리 고 한나 아렌트의 『인간의 조건』 등을 읽었습니다. 이 책들을 이해 하려고 많은 애를 썼죠. 이들이 제기한 중요한 질문들, 즉 정의, 도 덕, 그리고 좋은 삶에 대한 질문은 가장 정교하고 심오한 경제학 이론이나 복잡한 경제 모델보다 더 심오하고, 더 도전적이라고 느 꼈습니다. 이에 강렬한 철학의 유혹을 받았습니다. 그리고 아직도

저는 그 유혹에 빠져 있죠. (웃음)

K 저 역시 철학의 유혹에 빠져 있다고 해야겠네요. (웃음) 그
러면 교수님이 지금까지도 철학에 매료되어 있는 결정적 이유
는 무엇인가요? 평생 정치철학을 연구하고 강의하게 된 원동
력이랄까요?

S   제가 특히 매료되었던 것은 철학이 가진 추상화 abstraction 의 힘보다는, 철학적 질문이 가진 피할 수 없는 힘 inescapability, 철학이 우리의 일상생활에 비추는 빛 때문이었습니다. 철학은 교실에만 작용하는 것이 아니라, 공적 공간에도 적용됩니다. 저는 철학을 공부하고 강의도 하면서 철학과 현실을 꾸준히 연결시켰습니다. 시민들이 숙고하고 토론하여 공동선을 형성하는 공적 공간에서 철학의 중요성과 그 힘을 계속 경험해 온 것이죠.

저는 제가 여행하는 곳마다 시민들이 중요한 질문들에 대한 논증과 토론에 커다란 갈증과 허기를 느끼고 있음을 느꼈습니다. 정의, 평등과 불평등, 역사와 기억의 문제, 공동체와 소속감의 문제 등에 대해서 말이죠.

최근에 저는 리우데자네이루 인근 빈민 지역인 파벨라라는 곳에서 활동하고 있는 한 인물을 알게 되었습니다. 그 지역에는 빈곤과 결핍의 환경에도 불구하고 빈민운동을 벌이는 공동체가 있는데, 그 운동을 주도하는 레기날도 Reginaldo 라는 사람입니다. 그는 파벨라에서 자라났습니다. 제가 브라질을 방문하여 강의했을 때 그는 제게 자신이 어떻게 철학과 사랑에 빠졌는지를 말해 주었습니다.

그는 25살까지 문맹이었습니다. 부유한 지역의 쓰레기통에서 재

활용품들을 수집하며 생계를 유지하던 사람이죠. 부자가 버린 물건 중에 쓸만한 것을 고르다가 어느 날 낡은 책 한 권을 주웠습니다. 그는 책의 내용이 무엇인지 이해하고 싶어서 애를 썼는데, 우연히 집 주인이 그 모습을 보게 되었습니다. 레기날도가 주운 책은 소크라테스의 재판에 관한 플라톤의 대화록이었습니다. 놀랍게도 마침 집 주인은 은퇴한 철학 교수였습니다. 교수는 레기날도에게 원하면 글을 가르쳐주겠다고 했습니다. 그날 이후 수년간 레기날도는 그에게서 글을 배웠습니다. 또 플라톤의 책들을 읽고 토론했습니다. 그리고 그는 변화했죠. 레기날도는 지금도 파벨라에서 살고 있고, 거기서 토론 그룹을 이끌고 있습니다.[65]

　레기날도나 저는 같은 프로젝트에 임하고 있다고 생각합니다. 이 프로젝트는 소크라테스가 시작했던 것입니다. 시민들이 어떤 사회적 배경에, 어떤 환경에 속했든 그들을 초청해서 "우리가 어떻게 함께 살아갈 것인가?"라는 질문을 던지는 것입니다. 우리가 지금 경험하고 있는 민주주의의 어두운 시간 가운데서 만날 수 있는 큰 희망은 이런 질문을 던지는 게 아닐까 합니다. 우리가 살아가는 세계를 고쳐갈 가장 큰 희망을 말입니다.

K   레기날도와 유사한 사례를 교수님의 친구인 오스노스^{Evan} Osnos 교수의 글에서도 읽었습니다. 『마이클 샌델, 중국을 만나다』라는 책에 쓴 오스노스 교수의 「서문」[66]에 나오는 이야기였죠.

오스노스 교수는 쉬예라는 이름의 여성을 언급했죠. 그녀는 당신의 강의 영상 〈정의〉를 통해 영혼의 "구원"을 받았다고 했습니다. 농민이었던 부모에게서 태어나 경영학을 공부해 출세와 부를 얻겠다는 생각을 가졌던 쉬예는 교수님의 강의를 접한 뒤 자기 주위에서 일어나는 현상들에 대해 질문을 던지기 시작했다고 했습니다. 설 귀성 차량의 암표를 살 것인지에 대한 질문에서 시작하여 어머니와 함께 절에 불공을 드리는 일에 대한 의문까지, 그녀는 남들이 보기에 어리석다고 생각할 수 있는 질문들을 스스로에게 던졌던 것이죠. 이제 그녀는 자신의 방향을 바꿔 사회를 위해 할 수 있는 일을 고민하고 있다고 했습니다. 오스노스 교수가 전하는 이야기는 하나의 이야기이지만, 그녀와 유사한 이는 적지 않을 것입니다.

그런데 요즘 한국의 대학에서 인문학은 능력주의 경쟁에서 소외되고 있는 듯 보입니다. 물론 그래도 철학이나 인문학을 공부하겠다고 하는 청년들은 여전히 존재하며, 그들은 아주 진지하게 인문학 공부를 하고 있지만 말이죠.

S   저는 교수로 활동하면서 학생들뿐만 아니라 많은 사람이 철학적 고민을 통해 삶을 변화시키는 모습을 보았습니다. 미국에서도 IT나 경영을 전공하는 학생들이 많아졌으나 여전히 인문학을 전공하기를 원하는 학생들도 있습니다. 대학은 자신의 특정한 전공을 공부하는 것 외에 반드시 모든 학생에게 인문학을 가르쳐야 한다고 생각해요. 좋은 미래를 위해서는 미래 세대들이 인문학적 사유를 할 수 있도록 문학, 철학, 사학 등의 공부를 경험하게 하는 제도를 반드시 갖추는 것이 필요합니다.

K   오래전 2010년 가을에 제가 하버드를 방문하여 교수님의 〈정의〉 강의를 참관했던 적이 있습니다. 그날이 교수님과의 인연이 시작된 첫 순간이었던 것 같습니다. 지금도 그 강의를 계속하고 있으신지요?

S   저의 〈정의〉 강의는 2012년 이후로 하지 않았습니다. 영상이

널리 퍼져 있어서 그것을 이미 본 학생들에게 같은 내용을 강의할 필요가 없어진 것이죠. 그런데 최근에 대학본부에서 학생들의 집단적 숙고 능력이 떨어진다고 판단하여 제게 그 강의를 다시 해달라고 요청해왔습니다. 고민 끝에 그 요청을 받아들여 2024년 가을부터는 다시 〈정의〉 강의를 합니다.

K 그럼 새로 시작하는 강의의 내용은 과거와 동일한가요?

S 아닙니다. 같은 내용을 강의할 수는 없죠. 요즘 저는 급격히 발전하는 기술 문제에 관심이 많습니다. AI의 등장이나 Chat GPT 관련 윤리적 문제, 빅데이터 시대의 프라이버시 문제, 소셜 미디어가 개인을 고립시키고 대화를 막는 현상 등이죠. 앞서 언급한 왜곡된 정보의 유통이나 정치적 편향성을 강화하는 미디어의 역할도 관심사입니다. 그래서 〈정의〉 강의에서 이런 사례들을 다루어볼 생각입니다. 학생들과 토론할 주제로 말이죠.

K 아주 흥미 있는 강의가 되겠네요. 그 강의도 녹화되어 공개될까요?

S   당분간은 그러기 어려울 것 같습니다. 아마 나중에 공개될 날이 오겠지만 곧바로 그럴 계획을 하고 있지는 않습니다.

   K   이제 대담을 마무리해야 할 것 같습니다. 이 책의 출간과 더불어 더욱 자주 교수님과 한국 독자들 사이의 만남이 이루어졌으면 합니다. 저도 나름대로 교수님의 철학이 한국 사회에서 더 널리 읽히고 토론될 수 있는 방법을 마련해 보겠습니다. 늘 건강하시길 기원합니다.

S   멀리 하버드까지 찾아와 주셔서 고맙습니다. 친구로서 오랫동안 학문과 우정을 나눌 수 있어서 늘 고맙게 생각하고 있습니다. 앞으로도 더 긴밀한 관계를 가질 수 있기를 바랍니다. 우리의 책을 읽게 될 독자들께도 감사드립니다.

Michael Joseph Sandel
& Seon-Wook Kim

at Thomson Hall, Harvard University
April 5, 2024

출처 및 인용

1   OECD: A Broken Social Elevator? How to Promote Social Mobility, Figure 1.5.

2   송용창 기자, 「'정의란 무엇인가' 샌델 교수 신드롬」, 『한국일보』 2010년 8월 20일 자 2면 기사.

3   출판사 와이즈베리에서 번역하여 출간된 샌델의 모든 저서는 전문 번역가의 초역과 나의 감수, 혹은 내가 참여한 공역으로 이루어졌다. 그러나 『공정하다는 착각』의 번역은 현직 교수에 의해 이루어져 내 감수 작업은 생략되었다. 다만 샌델 교수의 요청에 따라 나는 '한국인을 위한 서문'을 썼다. 내가 감수자로서 작업한 저서는 『정의란 무엇인가』, 『마이클 샌델의 하버드 명강의』, 『돈으로 살 수 없는 것들』, 『완벽에 대한 반론』, 『정치와 도덕을 말하다』, 『마이클 샌델, 중국을 만나다』, 『당신이 모르는 민주주의』 등 총 7권이다.

4   이 책의 초판본은 『민주주의의 불만: 미국의 공공철학(Democracy's Discontent: America in Search of a Public Philosophy)』이라는 제목으로 1996년에 출간되었다. 개정판은 미국의 헌법을 둘러싼 여러 논쟁을 분석하고 있는 초판본의 전반부를 삭제하고, 미국 역사를 통해 펼쳐진 시민의식의 정치경제학을 분석하는 후반부를 보완하였다. 여기에 21세기의 경제와 정치에 대한 논의까지 더하여 『민주주의의 불만: 위험한 우리 시대(Democracy's Discontent: A New Edition for Our Perilous Times)』라는 수정된 부제목을 달고 출간되었다. 초판본은 2012년에 『민주주의의 불만: 무엇이 민주주의를 뒤흔들고 있는가』(동녘)로 번역되었다. 삭제된 초판본의 전반부 내용에 관심이 있다면 초판본 번역서가 여전히 유용할 것이다. 개정판 번역서가 초판본 번역서와 같은 제목을 달고 나오면 초판과 혼돈될 수 있으므로 출판사는 『당신이 모르는 민주주의』라는 제목을 새로 붙였다.

5   이 인터뷰 내용은 『자유주의와 공동체주의』(철학과 현실사, 2007)에 「자기해석적 존재를 위한 정치철학: 마이클 샌델과의 인터뷰」라는 제목으로 수록되어 있다.

6   The Harvard Gazette와의 인터뷰, "People want politics to be about big things", Christina Pazzanese 진행, 2016. 4. 5. https://news.harvard.edu/gazette/story/2016/04/people-want-politics-to-be-about-big-things/. 마이클 샌델에 관한 이 이야기의 내용은 대부분 이 인터뷰의 내용을 정리한 것이다. 주요 사실에 대해서는 샌델 교수에게 직접 확인하였다.

7   김선욱, 「자기 해석적 존재를 위한 정치철학: 마이클 샌델과의 인터뷰」, 마이클 샌델, 『자유주의와 공동체주의』 김선욱 외 옮김 (철학과 현실사, 2007), pp.332~333.

8 나는 신문 기사의 이 부분을 읽으면서 샌델 교수가 한나 아렌트에 깊은 관심과 식견을 가졌음을 알게 되었다. 2005년 인터뷰 때 아렌트에 대해 어떻게 생각하는지를 물었으나 그는 분명하게 대답하지 않았다. 2018년 초에 그의 집을 방문하여 가족과 대화를 나누던 중, 샌델 교수의 부인인 키쿠가 자신과 아들 애덤, 그리고 남편 마이클 모두 한나 아렌트를 가장 좋아하는 철학자로 여기고 있다고 답했다. 아렌트의 저술 가운데 『인간의 조건』을 가장 좋아한다는 말도 덧붙였다.

9 마이클 샌델, 『마이클 샌델의 하버드 명강의』 이목 옮김 (김영사, 2012), p.29, 408.

10 한나 아렌트, 『정치의 약속』 김선욱 옮김 (푸른숲, 2009), p.41.

11 키쿠 아다토, 마이클 샌델, 「가이드북」, 『바바얀과 마법의 별』 (한솔수북, 2020), p.3.

12 마이클 샌델, 『정의란 무엇인가』, p.379.

13 마이클 샌델, 『정의란 무엇인가』, pp.43~44 참조.

14 마이클 샌델, 『정의란 무엇인가』, p.380.

15 마이클 샌델, 『정의란 무엇인가』, p.85.

16 마이클 샌델, 『정의란 무엇인가』, p.99.

17 마이클 샌델, 『정의란 무엇인가』, p.133.

18 마이클 샌델, 『정의란 무엇인가』, p.13.

19 마이클 샌델, 『정의란 무엇인가』, p.44.

20 흔히 칸트의 정언명령을 이렇게 적용하는 경우가 있다. "거짓 약속이 보편적 법칙이 되면, 이 사회는 거짓말로 넘치게 되어 사람이 살기 어려운 세상이 될 것이다. 이처럼 거짓 약속이 넘치는 사회는 모두에게 나쁘기에 비도덕적이다." 이것은 칸트의 정언명령을 잘못 적용한 것이다. 이는 거짓말이 넘치는 세상은 살기 어렵기에 나쁘다는 말이 된다. 이것은 결국 공리주의적 기준을 적용하여 도덕성을 판단하는 게 되어버린다. 이런 해석은 칸트의 도덕 이론에 대한 흔한 오해이다. 임마누엘 칸트, 『도덕 형이상학을 위한 기초 놓기』 이원봉 옮김 (책세상, 2002), p.73 참조.

21 마이클 샌델, 『정의란 무엇인가』, pp.202~207.

22 마이클 샌델, 『정의란 무엇인가』, pp.214~215. 이 내용은 존 롤스의 『정의론』 내용과 일치하지만 설명이 길어지는 것을 피하기 위해 그 책에서 직접 인용하지 않고 샌델이 정리한 것을 그대로 활용했다.

23 마이클 샌델, 『정의란 무엇인가』, p.215.

24 마이클 샌델, 『정의란 무엇인가』, p.230.

25 마이클 샌델, 『정의란 무엇인가』, p.248.

26 마이클 샌델, 『정의란 무엇인가』, p.325 참조.

27 마이클 샌델, 『정의란 무엇인가』, p.320.

28 마이클 샌델, 『정의란 무엇인가』, p.325.

29 마이클 샌델, 『정의란 무엇인가』, p.355.

30 Hillary Goodridge vs. Department of Public Health, Supreme Judicial Court of Massachu-setts, 440 Mass. 309 (2003), p.312, 『정의란 무엇인가』, p.378에서 재인용.

31 마이클 샌델, 『정의란 무엇인가』, p.380.

32 마이클 샌델, 『정치와 도덕을 말하다』 김선욱 외 옮김 (와이즈베리, 2016), p.19.

33 헤로도토스, 『역사』 천병희 옮김 (도서출판 숲, 2014), p.325.

34 사마천, 『사기본기』 정범진 외 옮김 (까치, 2008), pp.89~92.

35 한나 아렌트, 『혁명론』 홍원표 옮김 (한길사, 2004), p.98.

36 필립 페팃, 『왜 다시 자유인가』 곽준혁 옮김 (한길사, 2019), p.69 참조.

37 마이클 샌델, 『정치와 도덕을 말하다』, p.30.

38 현대 서구 정치철학에서 공화주의 논의는 크게 두 전통 속에서 이루어진다. 첫째는 고대 로마의 전통에 관심을 두고 거기서 공화주의의 기원을 찾는 논의로 신로마 공화주의(Neo-Roman Republicanism)라고 불린다. 필립 페팃, 퀸튼 스키너, 마우리지오 비롤리 등이 대표자이다. 다른 하나는 철학적으로는 아리스토텔레스를 탐색하고 미국의 건국을 통해 구체화한 공화주의에 주목하는 논의로 시민적 공화주의(Civic Republicanism)라고 불린다. 마이클 샌델이 이를 대표하는데, 한나 아렌트도 미국 혁명에 크게 주목하고 있는 점에서 샌델과 아렌트의 유사점이 있다. 이 외에도 헌법과 관련한 논의를 통해 발전한 공화주의적 수정주의(Republican Revisionism), 자유주의적 공화주의(Liberal Republicanism) 등이 있다. 곽준혁, 「민주주의와 공화주의: 헌정체제의 두 가지 원칙」(『한국정치학회보』 39집 3호, 2005)와, 곽준혁, 「키케로의 공화주의」(『정

치사상연구』제13집 2호, 2007) 참조.

39 Ronald Beiner, "Introduction: The Quest for a Post-Liberal Public Philosophy", Debating *Democracy's Discontent: Essays on American Politics, Law, and Public Philosophy* ed. by Anita L. Allen et. al, Oxford Press, 1998, p.2.

40 실제로 독일의 나치는 공동체를 강조하면서 게르만인의 단결을 촉구하는 정치구호를 사용하였다.

41 마이클 샌델, 『공동체주의와 공공성』, p.9.

42 김선욱, 「자기 해석적 존재를 위한 정치철학: 마이클 샌델과의 인터뷰」, pp.328~329.

43 마이클 샌델의 이러한 입장에 대한 철학적 정당화는 그의 아들인 애덤 샌델이 저술 『편견이란 무엇인가』(와이즈베리, 2015)에서 제시된다고 볼 수 있다. 아버지의 뒤를 이어 옥스퍼드에서 박사학위를 받은 애덤 샌델의 박사학위논문을 토대로 쓰인 이 책은, 우리의 인식이 편견 혹은 전통으로부터 완전히 자유로울 수 없다는 해석학적 입장의 역사를 정리한 탁월한 저술이다.

44 김선욱, 「자기 해석적 존재를 위한 정치철학: 마이클 샌델과의 인터뷰」, pp.330.~331.

45 Michael J. Sandel, *Liberalism and the Limits of Justice* 2nd. ed. Cambridge University Press, 1998, pp.xii~xvi.

46 마이클 샌델, 『공정하다는 착각』, p.17.

47 마이클 샌델, 『공정하다는 착각』, pp.47~48.

48 마이클 샌델, 『공정하다는 착각』, p.55.

49 영어판 원제목은 "능력주의의 등장(The Rise of Meritocracy)"이다. 마이클 영, 『능력주의』 유강은 옮김 (이매진, 2020) 참조.

50 마이클 샌델, 『공정하다는 착각』, p.200 이하 참조.

51 마이클 샌델, 『공정하다는 착각』, p.327.

52 마이클 샌델, 『당신이 모르는 민주주의』, p.19.

53 불필요할 수 있는 우리나라 대통령의 이름과 재임 기간을 열거한 것은 우리의 문제가 무엇인지를 생각해 보자는 이유에서이다.

54 마이클 샌델, 『당신이 모르는 민주주의』, pp.325~333.

55 마이클 샌델, 『당신이 모르는 민주주의』 pp.334~335.

56 마이클 샌델, 『당신이 모르는 민주주의』 p.340.

57 마이클 샌델, 『당신이 모르는 민주주의』 p.362에서 재인용.

58 마이클 샌델, 『당신이 모르는 민주주의』 p.14.

59 마이클 샌델, 『정의란 무엇인가』 p.312.

60 마이클 샌델, 『당신이 모르는 민주주의』 p.31.

61 Part 1 p.22.

62 김선욱 교수는 2024년 7월 초에 숭실대학교에서 개최되는 제31회 세계법·사회철학대회에서 상연될 마이클 샌델 교수와의 한 시간 분량의 대담 영상 제작을 위해 하버드대학을 방문하였다. 이를 기회로 이 책의 결론을 위한 대담을 진행하였다. 2024년 4월 5일 톰슨홀에서 촬영한 1시간 분량의 영상은 7월에 공개된다. 제31회 세계법·사회철학대회를 위한 영상 제작을 계기로 이 대담 또한 가능하게 되었기에, 이 대회의 한국조직위원회 윤진숙 위원장(숭실대 법대 교수)께 깊은 감사를 드린다.

63 김선욱, 『한나 아렌트와 차 한잔』 (한길사, 2021) 제5장 참조.

64 한나 아렌트, 『칸트의 정치철학』 김선욱 옮김 (한길사, 2023)의 아렌트 강의 참조.

65 김선욱 교수가 하버드 대학을 방문하여 대화를 나눈 다음 날인 4월 9일 토요일에 레기닐도는 하버드 대학을 방문하여 특강과 더불어 샌델 교수와 대화의 시간을 가졌다.

66 마이클 샌델 외, 『마이클 샌델, 중국을 만나다』 김선욱 외 옮김 (와이즈베리, 2018), pp.8~20.